Seiroku Honda

本多静六

私の財産告白

多くの成功者が読んでいた!
伝説の億万長者が明かす
財産と金銭の真実

実業之日本社

金儲けは理屈でなくて、実際である。
計画でなくて、努力である。
予算でなくて、結果である。

その秘伝はとなると、
やっぱり根本的な心構えの問題となる。

昭和24年10月、84歳の本多静六、伊豆の山林を視察

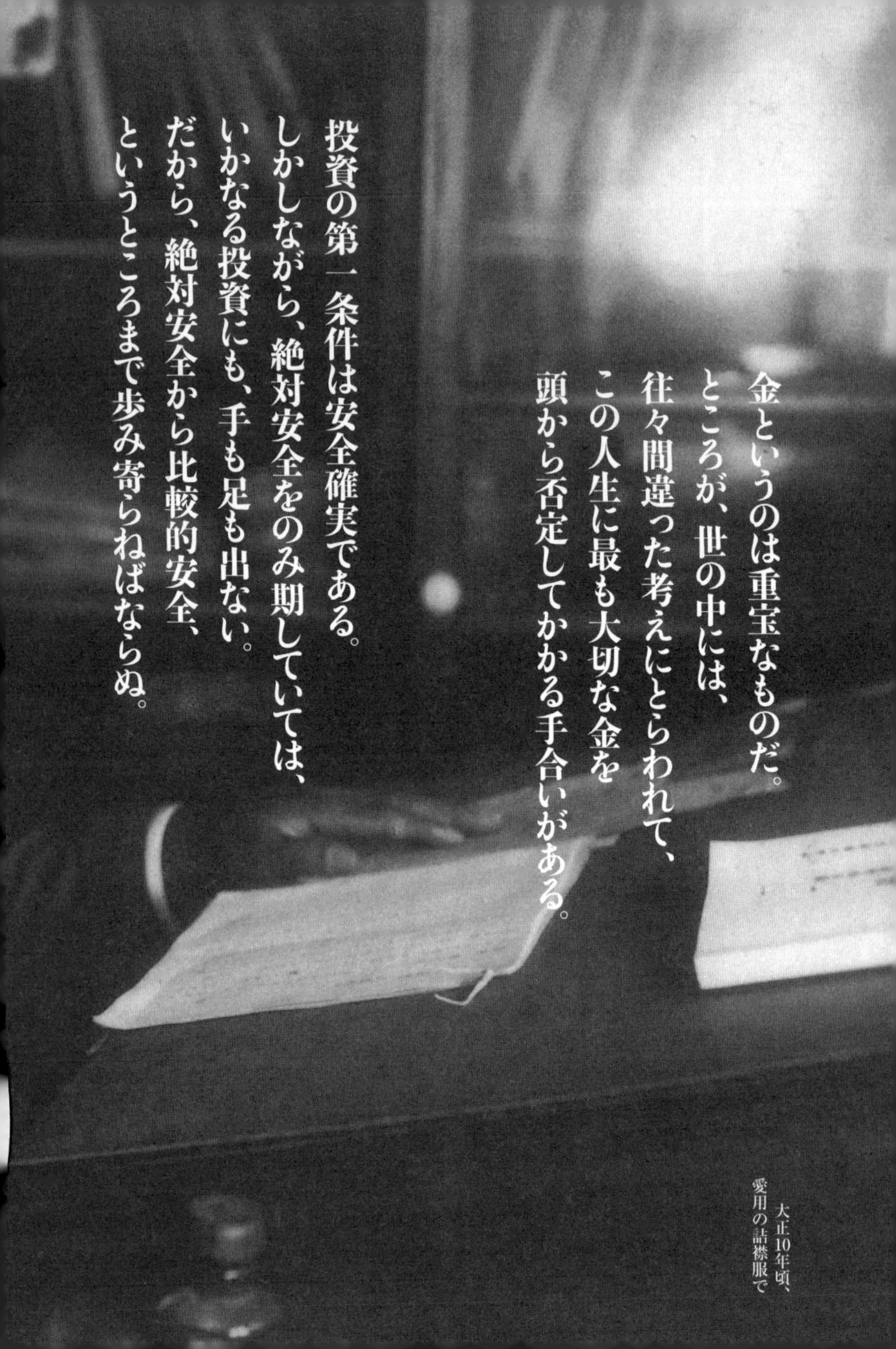

金というのは重宝なものだ。
ところが、世の中には、
往々間違った考えにとらわれて、
この人生に最も大切な金を
頭から否定してかかる手合いがある。

投資の第一条件は安全確実である。
しかしながら、絶対安全をのみ期していては、
いかなる投資にも、手も足も出ない。
だから、絶対安全から比較的安全、
というところまで歩み寄らねばならぬ。

大正10年頃、愛用の詰襟服で

人生の最大幸福は職業の道楽化にある。
富も、名誉も、美衣美食も、
職業道楽の愉快さには比すべくもない。

私の略歴——

慶応二年（一八六六）、埼玉県三箇村河原井（現在の菖蒲町）に生まれた。

十一歳のときに父を失い、百姓や米搗きをしながら苦学した。十九の春、東京山林学校に入学、第一期試験に落第、悲観して古井戸に投身したが死に切れず、思い直して決死的勉強の末、二学期引きつづき最優等で銀時計を賞与された。これで落第するほど愚鈍な生まれつきでも、努力次第で何事にも成功するという自信を得た。

そして働学併進が趣味となり、極端な耐乏苦学も、逆に愉快となり、満二十五歳で日本と独逸《ドイツ》の両大学を卒業、東京帝大の助教授になった。そのとき、生涯の生き方、すなわち人生計画を、「四十までは勤倹貯蓄、生活安定の基礎を築き、六十までは専心究学、七十まではお礼奉公、七十からは山紫水明の温泉郷で晴耕雨読の楽居」と定め、かつ毎日一頁以上の文章執筆と、月給四分の一天引き貯金の二つの行を始めた。そして四十歳で貯金の利息が本俸以上になり、宿願——万巻の書を読み、万里の道を往く——を実行、洋行十九回、足跡を六大洲に印し、三百七十冊余の著書を公けにした。

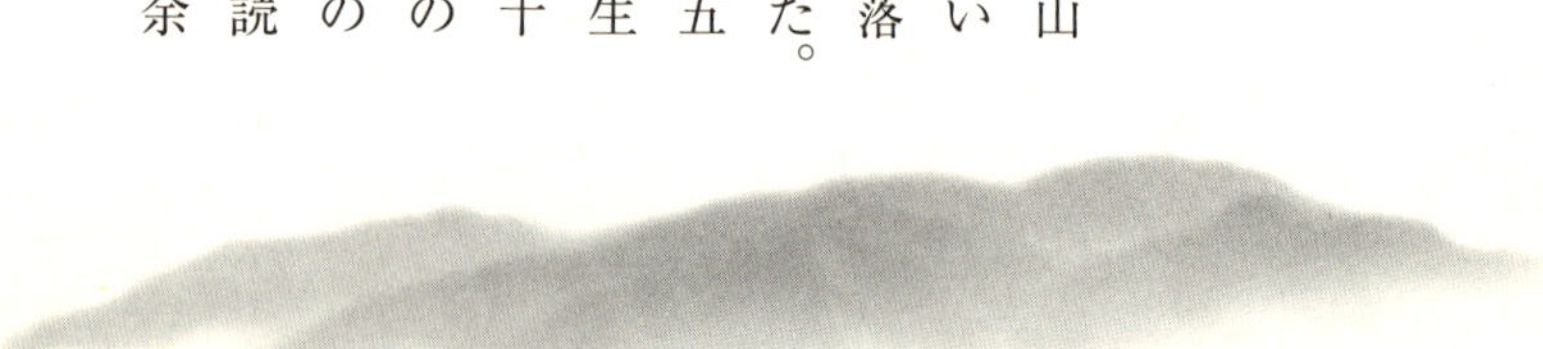

教職の余暇には東京府市・内務・文部・農林・鉄道等の嘱託顧問をし、日比谷公園・明治神宮・鉄道防雪林・国立公園・水源林・行路樹等の設計改良に当たり、また関東大震災後、復興院参与、都市計画委員、帝国森林会、庭園協会、都市美協会、学生誘掖会その他十七余の会長、副会長を兼ねた。また渋沢栄一氏等実業家の顧問としても、秩父セメント・武蔵水電・田園都市・日新ゴム等多くの開拓植林事業、各地水力発電所の風景破壊問題等を解決するなど、民間事業にも関係した。

満六十の停年後は「人並外れた大財産や名誉の位置は幸福そのものではない。身のため子孫のため有害無益である」と悟り、財産のほとんどすべてを、隠れて社会事業に喜捨、再び働学併進の簡素生活に帰り、七十歳までの十年間、宗教・哲学・歴史・経済・法制等の新刊書を耽読し、たまたまアインシュタインの相対性原理を知るに及び、大いに啓発されるに至った。爾来新たに十年計画をたて、学生時代に若返り、畢生の努力をもって「新人生学」の研究に努めている。

昭和二十六年十月

本多 静六 識

「天才マイナス努力」には、
「凡才プラス努力」のほうが
必ず勝てる。

一日一枚の原稿執筆を生涯続けた

写真提供：菖蒲町教育委員会

自　序

私は本年八十五歳になる。自分でもまず相当な年齢と思う。しかし、「人生即努力・努力即幸福」といった新人生観に生きる私は、肉体的にも、精神的にも、なんら衰えを感ずることなく、日に新たに、日に日に新たに、ますますハリ切って、毎日を働学併進に送り迎えしている。世の中をあるがままに見、避けず、恐れず、それに直面して、愉快に面白く闘いつづけ得ている。全くもって感謝のほかはない。

いまここに、長い過去をかえりみて、世の中には、あまりにも多く虚偽と欺瞞と御体裁が充ち満ちているのに驚かされる。私とてもまたその世界に生きてきた偽善生活者の一人で、いまさらながら慚愧《ざんき》の感が深い。しかし、人間も八十五年の甲羅を経たとなると、そうそううそいつわりの世の中に同調ばかりもしていられない。偽善ないし偽悪の面をかなぐりすてて、真実を語り、「本当のハナシ」を話さなければならない。これが世のため、人のためでもあり、またわれわれ老人相応の役目でもあると考える。

本書に収められた「私の財産告白」、「私の体験社会学」の二篇は、すなわち、この意図により、雑誌『実業之日本』を通じて世に問うた私の真実言であって、いずれも異常なる読者の反響をかちえたものである。

古諺に、なくて七癖という。老人にもまた七癖なくてはならぬはず。しかも、その一つに、御説教癖ともいうべき万人共通のものがあろう。本書の内容もこれが御多分に洩れぬかも知れぬ。しかし、ここに私の説くところは、ただ口先や筆先ばかりで人にすめるものではなく、いずれも自分みずから実行し、実効を挙げたもののみの吹聴であり、物語であって、御説教のための御説教は一言半句もさしはさまれていないつもりである。

実をいうと、いかによいことでも、それが自分の実践を基にして、しかも相当の成果を挙げたことを語る場合、なんだか自慢話になってやりにくいものである。ことに財産や金儲けの話になると、在来の社会通念において、いかにも心事が陋劣《ろうれつ》であるかのように思われやすいので、本人の口から正直なことがなかなか語りにくいものである。金の世の中に生きて、金に一生苦労をしつづける者が多い世の中に、金についての真実を語るものが少ないゆえんもまた実はここにある。

それなのに、やはり、財産や金銭についての真実は、世渡りの真実を語るに必要欠くべからざるもので、最も大切なこの点をぼんやりさせておいて、いわゆる処世の要訣を説こうとするなぞは、およそ矛盾もはなはだしい。

そこで、あるいは蒙るであろう、一部の人々の嗤笑《ししょう》を覚悟の前で、柄《がら》にもなく、あえて私の行うに至ったのが、この『私の財産告白』である。もとより、平々凡々を極めた一平凡人の告白である。新しく世に訴うる何物もないことはいうまでもない。しかも、それが予想に反して、知名の財界人を始め、各層社会人の間に、多数の共感共鳴者を発見するに及んだのは、老生近頃の最大欣快事でなければならぬ。

なお本書の発刊に際しては、一切を知友、元実業之日本主筆寺沢栄一君に託し、並み並みならぬその協力に負うところ多大であった。併せ記して同君の労を深謝する次第である。

昭和二十五年十一月

伊東歓光荘にて

八十五叟　本多静六

私の財産告白　目次

私の体験社会学　101

私の財産告白

装画／岡村夫二
装丁／清水良洋（Push-up）

私の財産告白

一、貧乏征伐と本多式貯金法

今日の「生活白書」

まず「私の財産告白」とでもいった話から始めるとしよう。これは、どうして素寒《すかん》貧《ぴん》の私が金を作り、財産を積み、そしてまたもとの無一物に還ったかという話である。柄《がら》にもなく、いまどき、財産の話などを持ち出すと、本多がいまもって、かくれた大資産家であるかのごとく、誤解されるおそれがあるから、最初に、いわゆる禅家の「無一物中無尽蔵」といった、乏しい中にも満ち足りた現在の生活白書から御披露しておきたい。

後段にくわしくお話しするであろうが、満六十歳の大学教授の停年と共に、感ずるところあって、私は、私の全財産を秘かに公共事業に寄附してしまった。そうして働学（労働と学問）併進の簡素生活に入り、老妻と共に再び昔の貧乏世帯を張り直した。もっとも貧乏世帯といっても、土地、家屋、株券で約百万円ほどを残し、かてて加えて勤倹貯蓄に心掛けていたので、またまた各方面へ追加寄附のできる予定計画さえ立つほどであった。それが大敗戦の結果、ついに財産の六割余を占めていた正金銀行その他海外事業株が丸損となり、加うるに数十万円の財産税と非戦災者税の支払い等で、東京の家屋敷と、箱根、伊東の僅かばかりの不動産を残すほか、全くの無財産となってしまった。その後の生活が、いわゆるタケノコを余儀なくされたのは、いうまでもない。

ところが、戦時中からいよいよつとめてきた昼耕夜学、芋粥とホルモン漬――生野菜を塩づけにしたものの自称――の簡易生活で、耐乏、よくこれを切り抜けてきた。さらに今年の初めから、インフレの終止や恩給の増額で、ようやく経済的安定を得るに至ったので、この上は、慢心と、贅沢と、怠惰とを厳に戒めさえすれば、どうやら百二十歳以上までは無事に生きられそうである。

そこで、いまここに、私の生活収支を具体的にはっきり公開しておくと、まず恩給が年七万円余、貸家貸地収入が約三万円、それに畑の生産物を金に見積って合した全部がわが家の年収である。もちろん、子供にもだれにも厄介にはなっていない。これらのすべては老妻に託して、老妻の切り盛りに任せているが、芋粥とホルモン漬の簡易生活は、益々私どもを健康にしつつ、しかも老妻の手元にはいくらか宛の貯金ができているらしい。その他、私には私なりに稼ぐ原稿料、講演料、身の上相談謝礼等の副収入があり、その半分を小遣いに使い、あとの半分もこれまた貯金している。この貯金は次回（二十回目）の洋行費や関係育英財団への寄附に当てるつもりである。こうした有様であるので、いまの私には経済上、生活上になんらの不安もなく、元気で、明朗で、八十五という年にさらに一つでも早く年を加えることがうれしく、しかもその老いを忘れて、日に新たに、日に日に新たなる努力生活を楽しみにしているのである。

これが私の今日の「生活白書」。

貧乏征伐の決意

さて話は本筋へ戻ろう。

私は少年時代から学生時代にかけて、ひどい貧乏生活をつづけてきた。そうして、貧乏なるがゆえに深刻な苦痛と堪えがたい屈辱をなめさせられてきた。そこでまず、なんとしてもこの貧乏生活から脱却しなければ、精神の独立も生活の独立もおぼつかないと考えた。

明治二十五年ドイツ留学から帰って、東京大学の農学部助教授になったのが、私の満二十五歳のときである。これが月給の取り初めであるが、奏任官《そうにんかん》の年俸八百円というのであった。この八百円は製艦費として一割を差し引かれ、正味の手取りが七百二十円――月割にして六十円ばかりであった。その中からさらに恩給基金等の控除があって、本当の月給は五十八円ほどになる。

当時すでに私は一家を構えていたが、まずこれだけあれば、大学教官としての体面を保つ生活は十分とされた。普通に暮らしていけば、まあ一パイ一パイというところであった。しかし、いけないことには、静六が外国から帰って大変な月給取りにでもなったと早呑込みしてか、にわかに寄食者がふえ、全家族九人を数えるまでになった。いかに物価の廉《やす》い頃とはいえ、これではどうにも動きがつかない。

それでも、旧幕臣の娘だった昔気質の義母などは、一向平気で、私の大学就任を士分の扶持取りになったかのように考え、いくら使っても一生お上《かみ》からこれだけは頂けるからいいじゃないかといっていた。私は月給取りと知行取りとはちがう、知行は家にくれていたものだが、月給は私の勤務に対してくれるものである、私が勤められなくなれば、もう一文の支給もなくなると一所懸命に説明を試みても、当人はなかなか呑み込めぬ有様であった。

こういった同勢九人を抱えての私は、これではいつまでたっても貧乏から脱けられない、貧乏を征服するには、まず貧乏をこちらから進んでやっつけなければならぬと考えた。貧乏に強いられてやむを得ず生活をつめるのではなく、自発的、積極的に勤倹貯蓄をつとめて、逆に貧乏を圧倒するのでなければならぬと考えた。

そこで断然決意して実行に移ったのが、本多式「四分の一天引き貯金法」である。苦しい苦しいで普通の生活をつづけて、それでもいくらか残ったら……と望みをかけていては、金輪際《こんりんざい》余裕の出てこようはずはない。貧乏脱出にそんな手温《てぬる》いことではとうてい駄目である。いくらでもいい、収入があったとき、容赦なくまずその四分の一を天引きにして貯金してしまう。そうして、その余の四分の三で、いっそう苦しい生活を覚悟の上で押し通すことである。これにはもちろん、大いなる決心と勇気が必要である。しかも、それをあえて私は実行したのである。

すなわち、一ヵ月五十八円の月給袋から、いきなり四分の一の十四円五十銭也を引き抜いて貯金してしまう。そうして、その残りの四十三円五十銭で一家九人の生活をつづけることにしたのである。

この一ヵ月十四円五十銭の天引きが、のちに数百円（実質何千万円）の資産を積む第一歩となったのだから、われながら大いに驚く次第である。

本多式「四分の一」貯金

「本多式四分の一貯金法」は、決して本多の発明ではない。すでに二千五百年も昔にお釈迦様が御経の中でも説いておいでた。江戸時代でも松平楽翁公や二宮尊徳翁、その他幾多の先輩が奨励してきた貯金法（分度法）と一致している。ただ、その実行を偶然私が思いついたまでである。貯金の問題は、要するに、方法の如何《いかん》ではなく、実行の如何である。

　ところで、私のやり方をさらに詳述してみると、「あらゆる通常収入は、それが入ったとき、天引き四分の一を貯金してしまう。さらに臨時収入は全部貯金して、通常収入増加の基に繰り込む」法である。これを方程式にすると、

　貯金＝通常収入×$\frac{1}{4}$＋臨時収入×$\frac{10}{10}$

ということになる。つまり月給その他月々決まった収入は四分の一を、著作収入、賞与、旅費残額などの臨時分は全部を貯金に繰り込む。こうして、また次年度に新しく

入ってくる貯金利子は、通常収入とみなしてさらにその四分の一だけをあとに残しておく。

これが、私の二十五歳のときから始めた貯金法である。苦しい上にもさらに苦しさを求めたのだから、初めの生活は全くお話にならぬ苦しさであった。しかし、私は発《ほっ》頭人《とうにん》でもあり、家計は一切妻に託したので、比較的に平気ですまされた。実際家内のほうはさぞ大変だったろうと、いまからでも顧みて推察できる。帳面買いでは安い物は買えない。そこで買物はすべて現金、月末になるとその現金がなくなってくるので、毎日胡麻塩ばかりで済ませたことさえある。それでも大人たちはなんともなかったが、頑是《がんぜ》ない子供たちは正直だ。「お母さん、今夜も胡麻塩？」などと泣き顔をした。それを家内が、「もう三つ寝るとオトトを買ってあげますよ」となだめなだめしていたが、私は平気とはいいつつ、さすがこれには断腸の思いをした。しかし、私のこの計画は、あくまでもしっかりした理性の上からきている。気の毒だとか、かわいそうだなどということは、単に一時的のことで、しかもツマラヌ感情の問題だ。この際この情に負けてはならぬと歯を食いしばった。そうして、四分の一貯金をつづけていけば、三年目にはこれこれ、五年目にはこれこれ、十年目にはこれこれになる。いまの苦しさは、苦しいのを逃れるための苦しさだから、しばらく我慢してくれと家内の者を説いたのである。

全く、私のこのやり方は無理のようで決して無理ではない。給料四十円もらったら、三十円しかもらわなかったと思って十円天引きすればよろしい。米が四俵穫れたら、三俵しか穫れなかったと思って一俵分を別にすればよろしい。米のほうは今年より来年が殖えるというわけにもいかぬが、給料のほうならまず順当にいけば必ず殖える。辛抱しさえすればだんだん天引き残余が増してくるのである。しかも私の場合、私と同じくらいの家族を抱え、現に三十円の収入で生活をしている人々も多かったので、私はただ生活の出発を一段下げた処から始めるとさえ考えればよろしかったのである。

敗戦後の今日、だれも彼も最低のところに在るのでは、一段にも、半段にも、どうにも下げようがないではないかといわれるかも知れない。しかし、事実は果たしてそうだろうか。当時における私のこの考え方は、現在でも経済生活の行き詰り打開に応用できると確信する。

ホンの一回、最初の出発において、何人もまず四分の一の生活切り下げを断行してください。ただそれだけですむのである。何事も中途でやり直すことは難しい。最初から決めてかかるのが一番楽で、一番効果的である。

ブレンタノ博士の財訓

私は林学博士の肩書が示すように、大学ではもっぱら林学を担当してきた者であるが、ドイツ留学では、ミュンヘン大学で有名なブレンタノ先生の下に財政経済学を専攻してきたのであった。ドクトル・エコノミープブリケーの学位は、実はそのときの土産である。

そのブレンタノ博士が、私の卒業帰国に際して、

「お前もよく勉強するが、今後、いままでのような貧乏生活をつづけていては仕方が

ない。いかに学者でもまず優に独立生活ができるだけの財産をこしらえなければ駄目だ。そうしなければ常に金のために自由を制せられ、心にもない屈従を強いられることになる。学者の権威も何もあったものでない。帰朝したらその辺のことからぜひしっかり努力してかかることだよ」

と戒められた。ところで、当のブレンタノ博士自らは、どうであるかというに、大学の経済学教授として立派な地位を保たれていたばかりでなく、その説くところをすでに実行して、四十余歳で早くも数百万円の資産家になっていた人なので、私はこの訓言を身にしみて有難く拝聴してきたわけである。

いったい何事でもそうであるが、口先や筆先ばかりで人にすすめるよりは、自分自らまず実践してみせ、しかるのちに人にすすめてこそ大に効果があるものである。ところが、いかによいことでも、自分が実行して相当の成果を挙げたことを人に教える場合、なんだか自慢話になってやりにくいものである。ことに財産や金銭の話となると、いかにも心事が陋劣《ろうれつ》であるかのように人が思いやすいので、本人の口から正直なことがなかなか語りにくいものである。それを六十年もの昔、異邦人の私に親切に説き聞かされた恩師の厚情は、いまに私の感謝に堪えぬところであって、学界人として異端視されつつ、私が金銭生活についても、その所信を断行し、またザックバランに、昔からその体験を物語るに熱心なゆえんは、実はこのブ博士の明察と勇気と親切とにお応《こた》えしようとしているわけでもある。

ブレンタノ博士は、さらにこういうことをいわれた。

「財産を作ることの根幹は、やはり勤倹貯蓄だ。これなしには、どんなに小さくとも、財産と名のつくほどのものはこしらえられない。さて、その貯金がある程度の額に達したら、他の有利な事業に投資するがよい。貯金を貯金のままにしておいては知れたものである。それには、いまの日本では——明治二十年代——第一に幹線鉄道と安い土地や山林に投資するがよい。幹線鉄道は将来支線の伸びるごとに利益を増すことになろうし、また現在交通不便な山奥にある山林は、世の進歩と共に、鉄道や国道県道が拓《ひら》けて、都会地に近い山林と同じ価格になるに相違ない。現にドイツの富豪貴族の多くは、決して勤倹貯蓄ばかりでその富を得たものではない。こうした投資法によって国家社会の発展の大勢を利用したものである」

そこで私は、まず四分の一天引き貯金の断行をし、それから、このブ博士の貨殖訓をおもむろに実行に移すことにした。

月給と利子の共稼ぎ

こういうふうにして私の四分の一天引き貯金生活は始められた。二、三年たつと預けた金の利子が毎年入ってくる。これは通常収入になるので、その四分の三は生活費に回すことができる。つまり月給と利子との共稼ぎになるので、天引き生活はいよいよ楽につづけられることになってきた。これでまずまず私も一家も一ト安心というわけである。

人間の一生をみるに、だれでも早いか晩《おそ》いか、一度は必ず貧乏を体験すべきものである。つまり物によって心を苦しまされるのである。これは私どもの長年の経験から生まれた結論である。子供のとき、若い頃に贅沢に育った人は必ず貧乏する。その反対に、早く貧乏を体験した人は必ずあとがよくなる。つまり人間は一生のうちに、早かれ、おそかれ、一度は貧乏生活を通り越さねばならぬのである。だから、どうせ一度は通る貧乏なら、できるだけ一日でも早くこれを通り越すようにしたい。ハシカと同じようなもので、早く子供のときに貧乏を通り越させてやったほうが、どれだけ本人のためになるかわからぬ。まことに若いときの苦労は買ってもやれといわれているが、貧乏に苦労し、貧乏し抜いてこそ、人生の意義や事物の価値認識をいっそうふかめることができるのである。貧乏したことのある人間でなければ、本当の人生の値打ちはわからないし、また堅実に、生活の向上をめざしていく努力と幸福は生じてこないのである。

貯金生活をつづけていく上に、一番のさわりになるものは虚栄心である。いたずらに家柄を誇ったり、いままでのしきたりや習慣にとらわれることなく、一切の見栄をさえなくすれば、四分の一天引き生活くらいはだれにでもできるのである。自分のネウチが銀もしくは銅でしかないのに、暮らしのほうは金にしたい。金メッキでもいいから金に見せかけたい。こういった虚栄心から多くの人が節倹できないのである。銀はどうせ銀、銀なりに暮らせばいいのであるが、さらに人生をより安全にし、生活をより健全にしようとするならば、むしろ一歩を退いて——事実は一歩を進めて——実力以下の銅なり、鉄なりの生活から出発していくべきだろうではないか。戦後の何もかも新規蒔き直しの生活には、とくにこの決心と勇気が必要であると思う。

三十株から山林一万町歩へ

さて話は横に外れたようであるが、元へ戻って、私の「財産告白」をつづけると、天引き貯金によって相当にまとまることになった資金で、最初にまず、ブ博士の仰せに従って日本鉄道株（上野青森間——私鉄時代）を買い入れた。たしか十二円五十銭払い込みのもの三十株だったと記憶するが、それが間もなく三百株にふえたとき、払い込みの二倍半で政府買上げとなった。年々一割の配当を受けつつ私の貯金の一部が早くもここに三万七千五百円となったわけである。明治時代の三万何千円はとても大したものであった。これだけでまず一財産ということができた。しかもその元はといえば僅かな俸給の四分の一天引きである。私はとくにここで貯金を馬鹿にしている一部の人々にこのことを強調したい。――国家の敗戦とそれに伴うインフレーションといった大変事さえなければ、やはり貯金の力は絶対偉大である。

つづいて私は、その金で、今度は秩父の山奥の山林買収に着手した。これはブ博士の教えによるのでもあり、また私の専攻学科にも関係が深かったからでもある。

当時秩父の山奥（中津川）は国内においても稀にみる天然美林であったが、鉄道からは遠く、道路もほとんど皆無で、その開発に手がなく、税金ばかりかかって只《ただ》でももらい手がないというほどの有様であった。私は天下のこの大財宝がこのまま朽《く》ち果てるわけはない、また朽ち果てしむべきではないと考え、売手のあるに従って言い値で買い込むことにした。言い値といっても全く只のようなもので、一町歩がタッタ四円前後、それもいちいち正式に実測することができないので、一つの山に登って、反対側の山を指差し、あの谷からあの谷まで全部で何十町歩、何百町歩といったやり方で、その土地立木全部を台帳面積いくらでと買い取ったのである。中には買い手が来たからといって、全村挙《こぞ》ってその持ち山を私に売りつけにきたことさえあった。いずれにしても、数万円の資金が用意されているところへ、一町歩タッタ四円というのであるから、私はほとんど片ッぱしからそれを買い入れることができた。仕舞いには三井、三菱といった有力な競争者が現れたが、そんな頃には私はもう八千町歩からの山林を自分のものとしていたのである。――その後にも買い増して約一万町歩にもなった。

ところへ、日露戦争後の好景気時代がやってきた。木材の思わぬ大値上りで、しかも漸次搬出の便宜もととのえられてきた。そこで、その立木だけを一町歩二百八十円宛で一部を売ることにした。――正に買い値の七十倍である――これで昨日までの素寒貧本多が一躍成金になったというわけ。ある年のごときは年収二十八万円で、当時における淀橋税務署管内のナンバーワンにまで出世（?）したのである。

当時はすでに、私はなおほかにもいろいろの財産というべきものをもつに至っていたが、この山林の立木を時価でみただけでも二百八十万円、それに何やかやで、実はわれながら驚かされるまでに大したことになってしまった。四分の一天引き生活を継続しても、まだ金の使いようがなくて困るという有様で、十数年前のゴマシオ時代から考えても、また今日のホルモン漬時代から考えても、全く夢のような豪華生活を送ったのである。それは主として学術研究兼視察の海外旅行によってであるが、その海外旅行を私費でいままでに十九回も繰り返し得たのもまた、四分の一天引きに始まるこの投資財産のおかげであったのだ。

しかし、物事は程度を過ぎると必ずそこに余弊が生じてくる。はじめは「本多の財産」であった私の財産が、ここに至ると逆に私をとりこにして「財産の本多」といった主客の顚倒を起こしそうになった。そこで、私はハッと気付くところがあり、財産を作る問題の次は、財産を処分する問題だと考え始めたのである。

二、金の貯め方・殖やし方

大切な雪達磨《だるま》の芯

いったい人間というものは、金を持つことがいいだろうか、わるいだろうか。必要な金は持つがよろしい。欲しい金は作るがよろしい。——その答えは、しごく簡単である。ただ問題は、その方法よろしきを得るということである。あくまでも自力によって、筋の通った正しいもののみをうけいれ、これを積み立てることである。ところが、その積み立てには、おのずからある限度がある。その限度を越えると、幸福の源泉であるはずの金が、かえって不幸の源泉となってくる。財産というものの在り方に、なかなか難しい問題が伴ってくるのはここである。

さて、それについては、改めてくわしく述べるとして、とにかく、金というものは雪達磨《だるま》のようなもので、初めはホンの小さな玉でも、その中心になる玉ができると、あとは面白いように大きくなってくる。少なくとも、四分の一天引き貯金で始めた私の場合はそうであった。これはおそらくだれがやっても同じことであろう。

だから、私は確信をもって人にもすすめてきた。どんなに辛い思いをしても、まず千円をお貯めなさい。――今日ならさしずめ十万円というところか――千円貯まれば、たちまち五千円貯まり、五千円貯まれば間もなく一万円にはいとやすいことである。ここまでくれば金が金を生み、金がある処にはまたいろいろいい智慧も出てきて、いよいよ面白い投資口も考えられてくる。こうなるともう、すべては独りでに動き出し、やたらに金が殖えてきて、殖えてきて、われながら驚くものである。

実際の話が、前にも述べたように、二十五歳から始めて、本多式貯金法の一手で押し通してきた私は、十五年目の四十歳になったときには、大学の俸給よりは、貯金の利子や、株式配当のほうがズッと多くなり、三十年過ぎた六十近い頃には、数百万円の貯金、株式、家屋等のほかに、田畑、山林一万余町歩、別荘地住宅六ヵ所という、かねて自分がひそかに予想していた以上に、はるかに大きな財産を所有することになったのである。

しかもこれには、少しのムリもなかった。自ら顧みて、ヤマしいところなぞはもちろんない。否かえって、経済的な自立が強固になるにつれて、勤務のほうにもますます励みがつき、学問と教育の職業を道楽化して、いよいよ面白く、人一倍に働いたものである。つまり、この身分不相応な財産のすべては、職業精励の結果、自然に溜まり溜まってきた仕事の粕だったのである。

世の中には、いかに職業を道楽化して働きつづけたとて、またいかに勤倹貯蓄の耐乏生活をつづけたとて、食わせなければならぬ子供や家族が多過ぎ、その日の暮らしに追われていたのでは、なかなか「道楽の粕」などを溜めるどころじゃないという人があるかも知れない。しかも、こうした敗戦後の経済変動の中では、とてもできないと相談とあきらめてかかる人があるかも知れない。そういう人々のために、私は「粕の溜め方・殖やし方」について後述、御伝授に及ぶとしよう。

金儲けは果たしてケシカラヌか

金というものは重宝なものだ。まず一応、だれしもあればあるに越したことはない。ところが、世の中には、往々間違った考えにとらわれて、この人生に最も大切な金を頭から否定してかかる手合いがある。正直に稼いで正直に積み上げた金にたいしても、変な色眼鏡でみて、あいつは金を貯めている、学者のくせに――これは私にたいする場合の非難であったが――金を作った。たくさん持っているようだ。どうもけしからん、じゃないか、などと、とかく、他人《ひと》の疝気《せんき》を頭痛に病《や》むといったかたちで、果てはよけいなおせっかいを出して、その貯蓄生活に立ち入りたがるものがある。人間は金を持つべからず、金を持つ者すなわち品性下劣なりと決めてかかるような連中がある。

これはことに、日本人の間に昔からあったわるい癖で、いわゆる武士は食わねど高楊枝といった封建思想の余弊である。しかも、それらの連中は全く金を欲しがらぬかといえば、さにあらず、金にたいしてはいっそう敏感ともいうべきで、敏感なればこその人の懐《ふところ》工合《ぐあい》まで気になるわけなのである。

およそ、世の中というものは、聖人君子といえども嫉視の敵を防ぐことはできない。まして有徳者でないわれわれ凡人においてをやだ。しかも、こうした思想感情の中で衆に越えて、金を作り、金を持つということは、得てしてツマらぬ周囲の誤解を招きやすいものである。

私も御多分に洩れず、多少金ができたという、ただそれだけの理由で、意外にも同僚から辞職勧告まで受けたことがある。これによって、私は、金を作ることも相当難しいが、さらにそれ以上に金を使うこともなかなか難しい、たとえば、寄附一つするにも骨が折れるものだわい、と痛感させられたのである。

同僚から辞職勧告を受ける

それは大学奉職中のなかばに属することであるが、東京大学などが中心に、学士会館創設の議が起こり、教授、助教授連も応分の寄附を仰せつかった際のことである。

そのとき、私も応分のつもりで鈴木梅太郎君とともに金一千円の寄附を申し出た。それがはからずも大問題となった。少な過ぎるというのではない。多過ぎるというのである。鈴木君のほうは某製薬会社の顧問をしていて、金の有ることは別に不思議はないが、本多の一千円というのは不思議である。一介の教授がどうしてそれほどの一時金が出せるのだろう。われわれは俸給の中から、五円、十円の月賦にして、しかも五十円、百円の割当てすらちょっと出し兼ねているのに、本多にはどうして一千円という大枚が投げ出せるのだろう。大学教授のくせに、本多の奴は、きっと何かの相場でもやっているにちがいない、けしからん、学者の風上にもおけないと、農科大学内に大変な物議をかもしてしまったのである。

その結果は、気の早い者の部内決議となって、私のところへさっそく辞職勧告状が持ち込まれてきた。代表として私の研究室へおしかけてきたのは、先輩に当たる横井時敬君ともう一人長岡宗好君であったが、これにはさすがの私も面食らって唖然とした。

しかし、その理由の当否はしばらく別にして、ともかく、部内一致で辞職を求められるのは、本多としてもまず自らの不徳を顧みなければならぬ。何もいわぬ、潔《いさぎよ》く辞表をしたためようとキッパリ答えた。ところが、金一千円の寄附の出所が不審で、しかも不浄財とうたがわれては、この本多もはなはだ心外である。辞職は辞職、金は金、このところは、大いに弁ぜざるべからずと考えた。そこで、

「さて、これで君等の使命は達せられた。こんどは、こちらからのお願いである。友達甲斐にぜひ、寄附金の出所を改めて調べてもらいたい」

というので、無理やり横井君と長岡君とを引っ張って家へ帰った。そうして、すぐさま女房にいいつけて、

「任官以来の家計簿をみんな持ってこい、それに貯金帳と株券もだ」

と、和綴になった何十冊もの大きな帳面と関係書類を両君の前へ積み上げた。

今度は横井君らが面食らってしまった。山と積まれた家計簿の第一冊から、何円何十何銭の収支が巨細《こさい》にわたってキチンと記入されている。ここで月給がいくら、ここ

で支出がいくら、ここで旅費の残額がいくら、ここで貯金が何ほどと、どこを開けても、どの年の決算をみても、一目瞭然しかも、わが女房を褒めるでないが、堂々たる男まさりの達筆でしたためられている――そのときの貯金総額がいくらいくらといえば、そのときの日附の貯金残高を合計すると、いちいちピタリと符合する。

これには、二人もドギモを抜かれたかたちで参ってしまった。「いやア、これは」と両手をついてしまった。ここで私は、四分の一貯金の苦心とその効力を両君にくどくどと説き聞かせ、その結果がいまこれこれの額に達して、一切がこの本多の正直な汗とあぶらの働き粕だと、何万何千円の財産所有高を公開に及んだ。

「この中から、本多としての分相応な一千円である。諸君はこれでも本多の寄附をけ、い、い、い、しからんというのか」

と、きめつけた。

その夜両君とも平あやまりにあやまって帰っていったが、私は言明通り翌日辞表を持って出掛け、横井君たちを悪戯半分に困らせてやった。

これ以来、私と横井は一ぺんで大《だい》の仲良しになってしまった。

ここで、私はいまさらに偉大なる家計簿の功徳を知らされたのであるが、横井君はその後、わざわざ奥さんを寄こして、家計簿のつけ方を教えてもらいたいとまで申し込んできた。皆さんにも、貯金を作る生活は、まず、家計簿をつける生活から始まらねばならぬことを、とくに力説しておきたい。

アルバイトの産物

さて、話は前に戻るが、勤労生活者が金を作るには、単なる消費面の節約といった、消極策ばかりでは十分でない。本職に差し支えない限り、否本職のたしになり、勉強になる事柄を選んで、本職以外のアルバイトにつとめることである。

私のアルバイトは、「一日に一頁」の文章執筆の「行《ぎょう》」によって始められた。

それは満二十五歳の九月から実行に入ったことで、私は四分の一貯金の開始と共に、一日一頁分（三十二字詰十四行）以上の文章、それも著述原稿として印刷価値のあるものを毎日必ず書きつづけ、第一期目標五十歳に及ぼうというのであった。これには、貯金と同じようにあくまでも忍耐と継続とが大切で、最初はずいぶん苦しかったが、断然やり抜いた。一週間旅行すると七頁分も溜まる。あとの一週間は一日二頁分宛にして取りかえさなければならぬ。年末俗事に煩わされて時間を食ってしまうと、翌年からは元旦早朝に学校へ出掛けていって、十枚、二十枚の書き溜めさえやった。次第になれ、だんだん面白く、仕舞いには、長期旅行をするのに、いつも繰り上げ執筆ですまされるようになった。

ところが、四十二歳のとき、腸チフスにかかって赤十字病院へ入り、三十八日間この「行《ぎょう》」を休まされてしまったので、それを取りかえすために一日三頁分宛に改め、退院の翌日から再び馬力をかけた。そうしてこれがいつしか新しい習いとなり、一日三頁分、すなわち一ヵ年千頁というのが、知らず識らずの中に第二の取り決めになってしまった。もう第一期限の五十はとうに過ぎ去ったが、八十五のいまもってこのアルバイトをつづけているので、つまらぬ本も多いながら、中小三百七十余冊の著書を生み出すことができたのである。

この著述活動のほかには、私はさらに、世間でよくいわれている「学問の切り売り」をやった。「学問の切り売り」というのはもちろん悪口の意味で使われている言葉であるが、私は私の確信によって、切り売りであろうが、卸売《おろしう》りであろうが、学問をもって立つものが、買い手の求めに応じて、それを正々堂々と売ることにした。またそれが、学問を実際に役立てるゆえんであるとも考えたのである。

そこで私は大学の本務のかたわら——本務は決してなまけるようなことはなかった。むしろ人一倍精励して、学生にたいする講義など一度も休講したことがない。——東京府、市、内務、文部、鉄道等の諸官庁嘱託を引き受け、また早稲田大学その他の学校講師をかけ持ちした。さらに余暇がある場合は、民間実業家の財務や事業上の相談にも応じた。要するに、なんでも働けるだけ働き抜く——これが私のアルバイトでもあり、また確信をもって貫くアルバイト精神でもあったのである。

貯金から投資へ――時節を待つこと

しかしながら、実をいうと節約貯金や本業かたわらのアルバイト収入といっても、ただそれだけでは大したことにはならないのである。人間一生の収入を全部積み上げても多寡《たか》が知れている。かりに、私の大学在職三十七年間の俸給を一文残らず四分利で貯金してみたところで、その計算はやっと十九万円そこそこにしかならない。

それが、私の場合でも、前に述べたようにわれながら驚くほどの結果となったのは、貯金とアルバイトの集積が、雪達磨《だるま》の芯となって次第次第に大きくなってきたためである。つまりは、何人も「貯金の門」をくぐらずに巨富には至り得ないのである。

貯金とアルバイトで雪達磨《だるま》の芯を作る。さて、このあとをどうするのか。これからが「致富の本街道」である。新しく積極的な利殖法を考えることである。

それは断じて「投機《とうき》」ではない。「思惑《おもわく》」ではいかん。あくまでも堅実な「投資」でなければならぬのだ。

これについて、私が財政経済学の恩師ブレンタノ博士の教訓を守り、予想外の大成功を収めたことは、前にもくわしく述べたところである。したがって、ここには、私の体験を要約して、いわば「本多式投資法」とでもいうべきものを簡単に御紹介することにしよう。

しかし、その具体的な説明に入る前に、何事にも成功を期するには、ぜひこれだけは心得おくべしといった、大切な処世信条の一つを披瀝《ひれき》しておく。それは、何事にも「時節を待つ」ということだ。焦《あせ》らず、怠《おこた》らず、時の来《きた》るを待つということだ。投資成功にはとくにこのことが必要である。

本多式株式投資法――の要領

私の財産成功は株式と土地山林であった。

まず、株式のお話から始めるとすると、**「二割利食い、十割益半分手放し」**という法で押し通した。

私が株式に目をつけたのは、ブレンタノ先生のおすすめにもよるが、その所有管理が簡単なことと、また利回りが銀行預金よりもはるかに優位にあったからでもある。たとえば、その頃預金は四分利にしかならなかったが、株式はしごく堅実なもので八分には回った。そこで、同じ一万円の元金でも、預金を引き出して株式に投資すれば、倍額二万円の働きをするわけで、順次その方面への転換に心掛けたのである。株式といえば、当時は証拠金売買の投機がさかんで、実力不相応な思惑をやって、大金を掴んでもたちまち失敗して悲惨な境遇に陥る人が多かった。これはすなわち投機で、私は絶対にとらないところである。

そこでまずある株を買おうとすると、いつもその全部の買受金を用意してかかった。もっとも買付けは取引が容易な点から常に先物《さきもの》を選んだ。――いかに値下りをしても、全部の買受金が用意してあるからビクともしない――そうして、それが引き取り期限のくる前に思いがけぬ値上りがあった場合は、買値の二割益というところで、キッパリ利食い転売してしまった。それ以上は決して欲を出さない。そうして二割の益金を元に加えて銀行定期に預け直した。つまり二割の益を加えれば、銀行預金でも、株式利回りをはるかに上回るので、私は一応それでいつも満足したのである。これがいわゆる二割利食いの法だ。

次に、いったん引き取った株が、長い年月の間に二倍以上に騰貴することがある――反対に値下りすることもあるが、この場合無理のない持ち株だからいつまでも持ちつづける。したがって絶対に損はしない――そのときはまず手持ちの半分を必ず売り放つ。つまり投資の元金だけを預金に戻して確保しておく。したがって、あとに残った株は全く只《ただ》ということになる。只の株ならいかに暴落しても損のしッこはない。これがいわゆる「十割益半分手放し」という法だ。

安田善次郎翁は「六分売り、八分買い」といって、六分以上の利回りになる株があったら、有り金全部で買い入れ、それが八分の利回りにつくまで騰貴すれば、全部手放すよう人にもすすめ、自分にも実行しておられたそうだが、私の方法もそれに劣らず面白いやり方だと信じている。

私が最初に選んだのは日本鉄道株であるが、その後私鉄株には漸次大きな将来性が認められなくなったので、瓦斯、電気、製紙、麦酒、紡績、セメント、鉱業、銀行など三十種以上の業種にわたり、それぞれ優良株を選んで危険の分散に心掛けた。これにもみなある程度の成功を収め、のちには私の株式総額財産は数百万円にも達するに至った。

話のついでに、いままでに一番うまくいったと思う株式投資を御披露に及んでおくと、大震災直後のことであるが、すべての株が暴落し、なかんずく東京電燈などは十円近くまで下った。私はこれはあまりに悲観され過ぎていると考え、いま買っておけば必ず元に戻ると確信した。そこで十二円五十銭から買い始め、資金のある限り四十五円まで買い進めた。果たして結果は予想通りで、私は五十円を越すと、さっそく手持ちの三分の二を換金、その利益であとの三分の一を只にして残すことにした。そうして、只の株がどうしようと損する結果とはならなかった。——すなわち、これで予想外の大儲けをしたのだった。

ところで最後に養老資金として残した特銀、海外株が、敗戦の犠牲として零《ぜろ》に帰したことは、真にやむを得ない。天下の大変動にあっては、いかなる財閥、個人も耐え得るものではない。失敗といえば失敗だが、この失敗はここには論外である。

しかし、そうした大変動ばかり心配していては、何事にも手も足も出せない。したがって、投資戦に必ず勝利を収めようと思う人は、何時も、静かに景気の循環を洞察して、**好景気時代には勤倹貯蓄を、不景気時代には思い切った投資を、時機を逸せず巧みに繰り返す**よう私はおすすめする。

本多は、富豪を目的としなかったから、こうしたことの実行で自ら得た財産は僅かであったが、いままで各学校官庁の演習林や水源林、それに各事業家の経済顧問として挙げてきた実績を数えれば、少なくとも数億円に達する勘定になる。だから、ここにいうことも決して駄法螺《だぼら》ではない。

自然の力にまつ山林投資

山林は私の専門で、とくにその経営の中核をなす「造林学」は、久しく自ら担当してきたところである。だから、山林に対する興味と研究は、私の立場上当然緊密を加え、またこれに私財を投じて利害の一致をはかることは、学問と実際とを結びつけるためにも大いに役立ったわけである。

私が株式と同時に、交通不便な秩父奥の山林に目をつけたのはすでに述べたが、それにはまた別の動機もあったのである。その一挿話を先に述べよう。

ドイツから帰って教職につくと、間もなく、私は郷里埼玉県の学生掖済会《えきさい》を作り、その基金募集を始めてみた。その際、頼みにした諸先輩から、あるいは「よけいなことをするな」と剣突《けんつく》を食わされたり、あるいは「いったい君はいくら出したんだね」と冷やかされたり、また「君が金持ちになったら始めるんだね」と嘲《あざけ》られたりした。そこでしみじみ私は考えた。これはなかなか容易な仕事ではない。どうしても自力で百万円以上を作らぬことにはものにならない。そうして、人を対手《あいて》にすぐできない仕事なら、別途に、案を立て、ときと自然の力をまつ山林を対手に、一つ立派な育英資金を作ろうと発心したのである。

それ以来、格安な山林を探しては、あちらに一山、こちらに一林と買い入れ、値の出たものは売り払って、さらに安い大きな山林に買い替えた。しかも、はなればなれにあるものを、次第次第に一ヵ所にまとめるという計画をたて、それを漸次実行してきた。それが秩父大滝村内に八千町歩の大山林となったのである。

私はこの山林の売却代金で育英資金を作るつもりであった。しかし、金にしてその元金を使ってしまうのでは長続きしない。山林は山林のまま管理経営して、年々の収益からまず百万円積むことでなければならぬと考え直した。しかし、私自身にはこれを直接管理する暇がないので、山林そのものを埼玉県に寄附し、県の手によって百年の大計を立ててもらうほうがよいと気付き、昭和五年十一月——本多静六・本多博・鈴木清次(小生秘書)共同寄附の形式にて——それを実行したのだった。

二万円が五千万円に

昨年の十一月(昭和二十四年)のことである。埼玉県知事からの突然の案内があって、秩父郡大滝村中津川部落に、県有林記念碑が建てられ、その除幕式を盛大にやるからぜひこの本多に出席してくれと申し入れてきた。この県有林というのは、いまお話しした育英会の基本財産で、私が五十年前、中津川部落の共有林あるいは私有林だったものを買い入れ——さよう原価わずかに二万円だったか——その大部分を県に寄附したのだった。広さは台帳面四千八百余町歩で、今日の実際価値からいえば、それこそ大したものといえる。——かりに、一町歩一万円とみても四千八百万円からになろうか。

五十年前の二万円が、五十年後の約五千万円である。この間、インフレという経済大異変があったとしても、時間と自然力の結果にまつ山林投資なるものが、いかに確実有利であるかがみなさんにもおわかりになろう。

さて、その記念碑というのは、この全山林を育英基金にもと埼玉県に寄附した私の功績をたたえ、その由来を記して永久に伝えようとの、県当局せっかくの御好意であったが、私は思うところあって、そのお招きには応じなかった。

それは、この大山林が今日これだけの価値をもつに至ったのも、主として時勢の推移によるものでもあるし、また一面、地元村民諸君や県当局の骨折りで、林道や自動車道が拓けたおかげであって、なんら私個人の働きに由来するものではない。それを本多一人の功績のようにほめたたえられるのは、決して私の本意とするところでなかったからである。しかし、県当局よりはぜひにとのおすすめもあり、私はとうとう御免を蒙ったが、伜《せがれ》を代理に出して、その光栄をお受けした。

大きく国土計画からみた植林問題はしばらく問わず、単なる投資経済からみただけでも、私は今後いっそうこの山林育成ということにみなさんの注目をひきたい。株式もよろしいだろう、一般不動産もわるくはないだろう。しかし、ときと自然力の加勢によって、知らず識らずの中に大を成す山林事業は、独り投資対象としても見逃せぬばかりでなく、国土愛護の上からいってもきわめて喫緊の要事であると考えられる。少なくとも私は長期にわたる公益事業団体の基本財産の一部は、必ずこれにおかれなければならぬと信ずるものである。この埼玉県育英財団の場合だけをみても、私がもし、初めから百万円の資金を掻き集め、これで山林方面への諸計画を打ちすてておいたら、今回の大異変でおそらく元も子もなくなっていたことだろう。思えば有難いことだった。山林投資へ転じていたればこそである。これは決して「我田引水」の論ではない。現実が立派に証拠立ててくれているところである。

三、最も難しい財産の処分法

財産蓄積に対する疑惑

さて、私の「財産告白」も、いかにして財産を作るかの問題から、いかにして財産を処分するかの問題におのずから入ってきたようである。

金を貯めてどうする？　財産をこしらえて、果たしてなんにしようというのか。これは、金を貯めた者も、貯めない者も一様に取り上げてみる問題である。ことに金を貯め、財産をこしらえる人々を側からみて、金を貯めず、財産もこしらえない――その実は、金も貯まらず、財産もこしらえられない――人たちの心配となり、陰口と好話題となるのであるが、御本人としても、実は年配と共にいささか気になり出す自己疑惑である。

昔、渋沢栄一翁が埼玉県人会のある席上で、私が例の職業道楽論を一席述べた後に起たれて、

「若い頃自分の故郷に、阿賀野の九十郎という七十いくつになる老人があって、朝早くから夜晩《おそ》くまで商売一途に精を出していたが、あるとき孫や曾孫《ひこ》たちが集まり、おじいさん、もうそんなにして働かないでも、うちには金も田地もたくさんできたじゃないか。伊香保かどっかへ湯治にでも行ってゆっくりしたらどうですとすすめたところ、九十郎老人の曰く、おれの働くのはおれの道楽で、いまさらおれに働くなというのは、おれにせっかくの道楽をやめろというようなものだ。全くもって親不孝の奴らだ。それにお前たちはすぐ金々というが、金なんかおれの道楽の粕なんだ。そんなものは、どうだっていいじゃないかといわれた。——諸君も本多の説に従って盛んに職業道楽をやられ、ついでに、また盛んに道楽の粕を溜めることです」

と述べられたが、ともかく、金なんて問題でないという人も、あまり粕が溜まってくると、ときとしてどうしたものかといった心配も出てき、はたの連中まで気をもみ出

す。

この問題について、実は私も心ひそかに考え抜いてきたのであった。右に述べた埼玉県有林の寄附行為なども、その実際的解決の一例であったが、自ら顧みていまだ全く満足というところまではいかなかった。

子孫の幸福と財産

いったい、財産をつくる目的の最初は、だれしも生活の安定とか、経済の独立とかにおかれるものであるが、それがいつしか、「子孫の幸福」につながる親心に発するものとなってくる場合が、大部分である。

すなわち、できるだけ多く財産をこしらえて、できるだけ多く子孫に伝えたいといった世俗的な考えに変化してくるものである。恥しながら、私にも多少そうした愚かさが萌《きざ》さないでもなかった。私もわが子孫の幸福について考えるに、まず子孫を健康に育て、完全な教育を施し、かつ相当な財産を分与してやりさえすれば、それで十分幸福にさせられるものと早合点したのである。これははなはだ間違った考えで、最後の相当な財産の分与などは全く顧慮する必要がなく、それはかえって子孫を不幸に陥れるものだと漸次気付くに至ったのである。

「幸福とはなんぞや」という問題になると、少しやかましくなるが、それは決して親から譲ろうと思って譲れるものでなく、またもらおうと思ってもらえるものでもない。畢竟《ひっきょう》、幸福は各自、自分自身の努力と修養によってかち得られ、感じられるもので、ただ教育とか財産さえ与えてやればそれで達成できるものではない。健康も大切、教育も大切、しかし、世間でその中でも最も大切だと早合点している財産だけは全く不用で、それよりももっともっと大切なのは、一生涯絶えざる、精進向上の気魄、努力奮闘の精神であって、これをその生活習慣の中に十分染み込ませることである。

　財産がいくらかできてきて、その財産と子孫の幸福とを関連させて静かに考えたとき、私は遅播《おそま》きながらこうした結論に到達したのである。

　さらに一歩をすすめて、社会環境というものを考察するに、たとえある程度の財産を分与することが子孫幸福の基となるとしても、今後は遺産相続税率の累進、または国家没収に類する新法案の出現で、事実上これを子孫に譲ろうと思っても譲れなくなる。なおいくらか譲れたとしても、必ず不労所得税などの新設強化で、親譲りの財産などはなんら利益をもたらさないのみか、かえって無用の負担とならぬとも限らぬ。それよりも子孫は子孫をして、おのれの欲するまま、自由に奔放に活動し、努力せしめるほうがどれだけいいかわからぬ。そうであるから、子孫を本当に幸福ならしめるには、その子孫を努力しやすいように教育し、早くから努力の習慣を与え、かつできるだけ努力の必要な境遇に立たしめることであると、これまた同じところへ結論づけるに至ったのである。

ここで、私も大学の停年退職を機会に、西郷南洲の口吻《こうふん》を真似るわけではないが、「児孫のために美田を買わず」と、新たに決意を表明、必要による最小限度の財産だけを残し、ほかは全部これを学校、教育、公益の関係諸財団へ提供寄附することにしてしまったのである。この場合、前にも一度あった例にかんがみ、世間の誤解を避けるために、またその寄附に対する名誉的褒賞を辞退するために、匿名または他人名を用いた。

これが、私の考え抜いた上の財産処分法でもあり、またかねてから結論づけていた「子孫を幸福にする法」の端的な実行でもあったのである。

秘められた安田翁の大志

財産のこしらえ方も難しいが、財産の上手な使い方はさらに難しい。この問題について、かつて私は、単刀直入に、故安田善次郎翁に訊ねてみたことがある。

それは大正十年の九月、大磯の安田別邸に出掛けてであった。その際、八十四歳の善次郎翁は、

「いまでも自分は金儲けを考えている。考えているばかりでなく、やかましくみせの者にいいつけて実行させている。だから、世間ではこのわしを守銭奴か何かのように非難しているが、おかしなハナシではないか、若い者の商売熱心を褒めつつ、老人の

商売熱心をとやかくいうなんて。銀行家の自分が最後まで銀行家として働くにどこがわるいのだろう。自分にははなはだそれが解《げ》せない。金を殖《ふ》やすだけで減らさぬのを世間はやっかむのかも知れぬが、実は自分は、少しでも殖やし、少しでも多くし、それをできるだけ効果的に使おうと苦心しているのであって、いまにして金儲けがやめられぬのも、その志が大きいからである」

といわれた。そうして、一生を懸けて真剣に貯めてきた金だから、最後の思い出に、真剣に使いたい。何か最も有意義に使いたい。そこでいま、実はかくかくの案を立て て、かくかくの人々に相談してみようと思っているのだと、いろいろその内容について洩らされた。

私もそれを聞いて、かつは驚き、かつは喜び、お互いに手を取り合って感激の涙の中に別れたのである。それから、十日たつかたたぬかに、あの凶変である（大正十年九月二十八日、安田翁は大磯において、理由なき寄附金の申し入れを断わり、朝日平吾なるもののために刺殺された）。私はこの報を知って、思わず飛び上がった。そうして、なんたることをする奴だと、朝日某の暴挙を心からにくんだ。

いまさら、その際の善次郎翁の大志を披露しても詮ないことである。老人には老人相応の夢がある。一代の商傑には、一代の商傑でしかたくらみ得ない大きな野望がある。世間というものは、どうしてこう出しゃばりやおせっかいばかりが多く、何故これを静かに見守って、心行くまで、その夢を実現させてやれないのだ。ことに日本の社会は、欧米に比してこの出しゃばりとおせっかいがはなはだしい。金持ちに気持ちよく金を使わせてやる雅量に乏しい。だから、なかなか有終の美を発揮する立派な金満家も出てこないのである。

当時、私は憤慨のあまり、この意味のことを、機会あるごとに、躍起になって書き立て、しゃべり立てたものであるが、この考えはいまに少しも変わってはいない。

自我と財産家の悲哀

余談にわたるかも知れぬが、私の財産告白に、ここでちょっと話題に出た安田翁の財産告白をも少し挿入しておきたい。

安田翁致富の基は、いうまでもない勤倹貯蓄である。これはブレンタノ先生の教えられた通りで、私の場合でもそうであるごとく、また一代の金傑安田の場合でもやはりそうであった。しかもその勤倹貯蓄の達成は、いったんこうと定めたことを、「意志の力」であくまでも押し通すことにおいてもまた一致している。安田翁は何事にも、ひとたび意を決して着手した以上は、いかに骨身をくだいても必ず為し遂げるまでは止めなかった。しかも財産増殖はその本業とするところでもあったから、一度ものに仕遂げた上は、さらにその仕事を十分に踏みかためて完全にわが物としてしまった。それから、新しくさらに朝《あした》に一城を抜き、夕べに一城を陥れるといったあんばいであった。この間の消息を翁自ら告白して、今日まで、事に当り、こうと見込んで、その見込み通り仕遂げなかった例は一度もないといっていた。正に驚くべき頑張りで、この頑張りがあったればこそ、一代にしてよくあの巨富を積み得たのである。

『財産はいくら積んだとて、あの世へ持っていけるものでもない』

世俗によく使われるこの言葉を、安田翁も心安い私などには冗談めかしてよく使われ、持っていけなければこそ、老後にその処分法、その活用法を真剣に考え抜かれたわけである。

しかし、惜しいかな、安田翁の場合はいま少しというところで、とんだ邪魔が入ってメチャクチャになってしまった。まことに故翁のためにも、世の中のためにも残念なことであった。もし天が許せば、あれほど財産を作るに自我の強い人であっただけに、また財産を使うにも強い自我を示されたことだったろう。

私はこのことにかんがみ、いささか財産処分の期を早めて実行したのでもあるが、また死後にして欲しいいろいろな用事の指示なども、その後、毎年末に必ず遺言状としてしたためておくことにした。さらに子供らへの、遺産分配のごときも、僅かながら、いわゆる「生き形見」としてできるだけ早く引き渡し済みにした。——これで子供たちが、私の死ぬのを待っているなんらの必要もなくなったというわけである。

二杯の天丼はうまく食えぬ

ずいぶんと古い話だが、私が苦学生時代に、生まれて初めて一杯の天丼にありついたとき、全く世の中には、こんなウマイものがあるかと驚嘆した。処は上野広小路の梅月、御馳走してくれたのは金子の叔父であった。

そのときの日記を繰り返してみると、

「ソノ美味筆舌ニ尽シ難ク、モー一杯食ベタカリシモ遠慮シテオイタ、ソノ価三銭五厘ナリ、願ハクバ時来ツテ天丼二杯ヅツ食ベラレルヤウニナレカシ」

と記されている。

後年、海外留学から帰ってきて、さっそくこの宿願の「天丼二杯」を試みた。ところが、とても食い尽くせもしなかったし、またそれほどにウマクもなかった。この現実暴露の悲哀はなんについても同じことがいえる。

ゼイタク生活の欲望や財産蓄積の希望についてもそうであって、月一万円の生活をする人が二万円の生活にこぎつけても幸福は二倍にならぬし、十万円の財産に達しても、ただそれだけではなんらの幸福倍化にはならない。いったい、人生の幸福というものは、現在の生活自体より、むしろ、その生活の動きの方向が、上り坂か、下り坂か、上向きつつあるか、下向きつつあるかによって決定せられるものである。

つまりは、現在ある地位の高下によるのではなく、動きつつある方向の如何にあるのである。したがって、大金持ちに生まれた人や、すでに大金持ちになった人はすでに坂の頂上にいるので、それより上に向かうのは容易でなく、ともすれば転げ落ちそうになり、そこにいつも心配が絶えぬが、坂の下や中途にあるものは、それ以下に落ちることもなく、また少しの努力で上へ登る一方なのだから、かえって幸福に感ずる機会が多いということになる。

すなわち、天丼を二杯も三杯も目の前に運ばせて、その一杯を——だれでも一杯しか食えるものではない——平らげるのは、せっかくのものもウマク食えない。一杯の天丼を一杯だけ注文して舌鼓を打つところに、本当の味わいがあり、食味の快楽がある。多少の財産を自ら持ってみて、私はこうした天丼哲学というか、人生哲学というか、ともかく、一つの自得の道を発見することができたのである。

一新された新人生観

実をいうと、私は若い頃にこんな人生計画を立てた。「四十までは勤倹貯蓄、六十までは勉学著述、七十まではお礼奉公、幸い七十以上生きられたら、居を山紫水明の温泉郷に卜《ぼく》し、晴耕雨読の生活を楽しむこと」と。

爾来曲がりなりにも、私はこの計画通りに生きて、早くも八十の坂を越えてきたが、大戦と大敗の国家的大変動を経て、私の生活にも幾変遷を免れなかった。しかもその結果、私の生活安定法は、「若いうちに勤倹貯蓄、慈善報謝、陰徳を積み、老後はその蓄積と陽報で楽隠居する」という旧式な考え方を超越して、楽隠居などという不自然な怠惰生活はさらりと捨て、「人生即努力、努力即幸福」なる新人生観によって、古くさい財産観も、陰徳陽報主義も一新されるに至ったのである。

四、金と世渡り

二つの中の一つの道

世の中に金というものがなくならない以上、金を無視して何人も生活することはできない。社会に財産権というものが存在する以上、これを自分勝手に否定してはだれしも一人前の世渡りはできない。「人間万事金の世の中」とは、昔からいい古された言葉であるが、依然今日でもその通用性に変わりはない。

要するに、いわゆる世俗的な成功の第一義は、まずなんとしても、経済生活の独立にある。これなくしては何事の成功もおぼつかなく、またどんな成功も本当の成功とは世間でみてくれない。ところで、この人生に最も大切な経済生活の独立には、何職、何業にかかわらず、積極的に働いて消極的に節約耐乏するよりほかに途はない。いくら働いても節約しなければダメ、それはちょうど笊《ざる》に水を盛るようなものだ。またいくら節約しても――節約を通り越して吝嗇《りんしょく》にすらしても――働かなければダメ、それはちょうど徳利の中の水を守るようなもので、ついには腐って臭気を発するばかりだ。

もとより吝嗇と節倹とは全く別物である。吝嗇は当然出すべきものを出さず、義理人情を欠いてまでも欲張ることで、節倹とは似て非なるもはなはだしい。節倹は出すべきものをチャンと出し、義理人情も立派に尽くすが、ただ自分に対してだけは、足るを知り、分に安んじ、一切の無駄を排して自己を抑制する生活を指すのである。

ところが、この両者が実際世間からは往々同一視せられ、節倹がいかにもしみったれな、吝嗇であるかのように罵られやすい。ここで、たいていの人には節倹の辛抱ができなくなり、また辛抱ができ難いことの口実になってしまう。だが、今日の実際生活には、世間から吝嗇とわらわれつつ金を残すか、あるいはまた世間から気前がよいとおだてられつつ一生ピイピイして過ごすか、二つの中一つを選ばなければならない。

そこで私も、敢然《かんぜん》意を決して前者を採ったのは、いままでいろいろお話しつづけてきた通りである。

そうして、この確信のよって来るところは、前者は初めケチン坊と罵られても、のちには実力の蓄積によって本当に気前のいい人になり切ることもできるが、後者は気前のよさにおいても実は大したこともできぬくせに、のちにはかえって哀れなものよ、馬鹿よ、意気地なしよと罵られ、ついには他人に迷惑をかけることが必至であると考えたからである。

「三カク」生活に陥るな

貧すれば鈍するという。これも事実である。人は貧乏してくると、啻《ただ》に自分自身が苦しいのみならず、義理をかき、人情をかき、したがってまた恥をかく。俗にいう「三カク」となってくる。他人にも迷惑を及ぼし、心ならずも嘘をつくようになり、ついには世間の信用をも全く失うに至るものである。元来、減っていく身上や落ち目の算盤はなかなか取りにくいが、たとえ少しずつでもプラスになっていく算盤は軽く動くものである。パチパチと威勢のいい音がする。われながら驚くようないい智慧も弾き出せるものである。一度そこまで来ればもうしめたもので、世の中が何から何まで面白く、自然と正直に立ち回れ、ますます努力の勇気が生まれてくるものである。

貧すれば鈍するが、鈍すればさらにまた貧する。

実際今日の世間でも、いろいろな不正を犯すものは、いずれもその多くが生活の奢《おご》りからきている。奢りのために金が不足し、借金が殖え、とどのつまりが収賄、詐欺、横領、使い込みといったことに陥っている。本当に正直な生活の行き詰りから悪事に走っているものはきわめて少ないと私はみる。正直に働き、正直に貯め、節倹につとめて、生活的に多少とも余裕を作ってきた人は、そうした悪事に走ることは絶対にない。そんな馬鹿げたことをあえてする必要は全くない。だから、私は多年の経験上、公務員たると、銀行会社員たるとを問わず、貯金もせず、贅沢な生活をして、しかも、身分不相応な投機思惑をしたり、競馬、競輪の類に血道を上げたり、とくに花柳の巷に出入りするもののごときは、早晩必ずこの種の不始末を暴露するものと断言してよいと思う。中小商工業者の破綻におけるもまた同様であろう。

さて、再び話を元へ戻して、ともかく、一日も速やかに経済生活の独立を確保しようとする者は、つまらない世間の思惑などに心を惑わしていてはいけない。ケチン坊などというそしりに耳をかたむけていてはいけない。出すべきものを出し、するだけのことをしておいての上であれば、だれはばかることはない。まず、その初志の貫徹に向かって邁進すべきである。ホンの一時のことである。目をつむり、腰をかがめていっさんに走り抜けさえすればうるささの煙にまかれてまごつくようなことにはならぬ。貯金の増進にも、財産の蓄積にも、とんとんと弾みがついてくるものだ。

貸すな、借りるなの戒律

少しばかり金が残り財産ができてくると、すぐもう「貸せ」という人が出てくる。しかもそれが、いままで自分の苦心惨憺をはたからなんのかのとそしっていた人々の中から多く飛び出してくるのだから、驚きもし、あきれもし、また困惑もさせられる。

初志貫徹の障碍《しょうがい》はこんなところにも待ち伏せている。これをうまく切り抜けるのが一苦労だ。昔から金の貸借にはいろいろな戒めがあって、「借主となるなかれ、また貸主となるなかれ、貸主は金と友人とを同時に失う」とシェクスピアなどもいっている。もちろん、借金の申し込みにはいちいちもっともな理由がある。抜き差しならぬ持ち込みがある。しかし、親戚知友に対する金銭上の融通はできるだけ避けたほうがよろしい。これはお互いのためだ。実際金の貸し借りは、その金ばかりではない、大切な友人や親類をも失うもととなるので、いかなる場合にも金を貸借しないに限る。

私もいままでにはずいぶんこの禁を破って金を貸した。ことに友人などから困窮の事実を訴えられると、つい気の毒になって金を出したものである。ところが、気の毒だと思って貸した金で、その金が生きた例《ためし》がほとんどない。いろいろな人に、いろいろな場合の申し込みをうけると、初めてのことで僅かの金高だからとか、せっかくわざわざ頼みにきたのに気の毒だからとか、最初のうちはいつも貸す気になった。そのほとんどすべてが失敗で、自他共に失うところがすこぶる大きかった。

ともかく、一度金を借りにくるくらいの人は、必ず二度、三度と借りにくる。そのときには再び貸さねば先の分まで死ぬということになって、再三無理をして貸し出してしまう場合が多い。そうして、自分にもこれ以上、もう貸す力がなくなるという頃には、いつしか切っても切れないという深い関係に陥ってしまう。こうして世の中の人々の多くが、善意に始まって、ちょっと金を融通したことからついに自分までも倒産の憂き目をみるに至るものである。私もここのところに気付いたため二度目にキッパリと断り、最初の恩借を無視されたばかりでなく、かえって大いに怨まれた場合さえしばしばあった。

いずれにしても、少し金ができてくるとだれにも必ずこの貸借のトラブルが起きてくる。こうした際、何人も心を鬼にして最初から一切融通に応じない方針を厳守するよう、私は私の体験からみなさんにおすすめする。またそれが本当にお互いのためでもある。

気の毒は先にやれ

貯金の駆け出しや、財産蓄積の当初ばかりでなく、われわれが社会に相当の地位を得、社交や事業関係の広まるに従い、金銭物資の融通問題はいよいよ増してくるものである。しかし私は、いかなる場合にも、金銭の貸借融通等は一切銀行またはしかるべき正式機関を対手にし、親族知友間にはすべてこれを行わないほうがよいと考える。万一のっぴきならぬ申し込みを受けた場合でも、その事情により、頼まれた金額の幾分に熨斗《のし》つけて進呈してしまうに越したことはなく、決して証文をとり、返してもらうつもりで融通してはならないと思う。今日の経済組織においては、筋の通った本当に必要な資金は、またたとえ生活上のそれでさえ、信用のある人にはそれぞれの供給先がある。貸すほうから頭を下げてまで持ち込んでくれる。それだのに親戚知友をたよって金を借りにくるような人は、畢竟《ひっきょう》どこへ行っても対手にされない不信用な人で、そんな人に返してもらうつもりで融通するなどはそもそもの考え違いといわなければならぬ。生《なま》じっかな貸借を行うと、かえってその人の失敗や堕落を助けることになり、自分も損をした上にその人をも誤らせる結果となるものである。いまの私にはもうほかに融通するような金を持ち合わせぬが、それでもなおしばしばこうした申し込みを受ける。この場合私は金を貸さぬ代りに、その人に独立自治のできるだけの心配をしてやることにつとめているが、そのときには、せっかく金を借りにきたのに、一文にもならぬ講釈で追い返されるのかと不機嫌な顔で帰った人も、かえって金銭は人を頼みにしていてはできない、自分自身で一所懸命作るよりほかに策はないと悟って、ついに独立自主の人となり、各方面に成功するに至ったものが多い。

実際の話が、いつの世の中でも、その身を落とし、生活を切りつめ、労苦をいとわず働くことを覚悟すれば、他人に不義理もせず、泣き言も持ち込まず、独立独歩の世渡りはまずできるものである。そればかりではない。いつしか金も貯まり、信用もでき、かえって金を出すからこの仕事をやってくれとさえ頼まれるようになるものである。とにかく、親戚知友をたよって、個人的に金を借りにくる人には、――病気災難の場合は別――たいてい何かの欠点があり、短所があるものであるからそれを自ら矯正しないかぎり、いくら金を貸してもとうてい成功はおぼつかない。したがって、一時はなんとかしても、結局は中途で打ち切らなければならなくなる。同じ断るなら、むしろ早いうちが相手の利益というものだ。昔からの言葉に「気の毒は先にやれ」というのがあるが、けだしこの辺の消息をつたえたものであろう。

「儲け口」と助平根性

次に最も注意しなければならぬのは、いわゆる「儲け口」の持ち込みに対する態度である。「儲け口」の持ち込みというのは、たいていウマイことずくめであるが、このウマイことずくめというのがそもそもの曲者である。いったいに人間はだれしも欲がふかいものであるから、そうそうあるはずのないウマイことずくめに釣られてしまいやすい。これはちょっと冷静に考えればすぐわかることであるが、小金が貯まると、世にいう助平根性が出てくるのでうっかりするとつい乗ぜられてしまう場合がある。

馬鹿に儲かる仕事は、また馬鹿に損する仕事でもある。馬鹿に儲かって、そして決して損をしない事業なんて、常識から考えても全くあり得ないことである。しかも、そんなにウマイことがあるのなら、だれしもこっそり独りで始めてしまう。そうそう他人《ひと》を説き歩くものではない。かりにそういう儲け口があるとしても、自分一人で大儲けしようなどと欲張って、身分不相応な大口出資を引き受けてはならない。本当にウマイ仕事なら、進んで他人《ひと》にも一口分けてやるべきであって、もし自分だけの出資で不足の場合には、本人をして他の友人などにも説得させるべきである。そもそも特別な事情のない限り、他の友人が出資を承知しないという場合——それ自体がすでにおかしいことと考えなければならぬ。そうして自分以外に出資者がなく、また自分だけの出資でそれが成立しないのなら、仕事はよさそうであるが、まだ時節が至らぬのだと、本人をしてしばらく中止せしめるのがよろしい。

なお金を貸したり、儲け口に出資したりする以上に気をつけなければならぬことは、金融上の保証人となり、連帯の印を捺したり、裏書の判を引き受けたりすることである。親戚知友などの懇意な間柄では、よく、ちょっと君が一ト判請け負ってくれさえすれば僕の事業も助かり、数日内に金も返せるから君にも決して迷惑はかけないと持ち掛けられることがあるが、うっかり請け判をしたためにとんだ目にあい、ついに一生涯それで苦しめられる人が少なくない。私の友人である知名の大学教授（W博士）のごときは、この手にかかり僅か数百円の借用証文に保証人の判を捺したばかりに、その証書が高利貸しの手に渡って転々とし、僅か五年そこそこのうちに数万円の巨額となり、その利息を払うだけに、生涯月給の差し押さえを食いつづけていたが、恐るべきは正にこの請け判である。だから、たとえ事情やむを得ず、自分の持ち物を売り払って金を出すことがあっても、決して他人の借金証書などに判を捺すべきではない。

偏狭を戒めよ

前にも述べたように、要するに財産蓄積に成功しようとすれば、焦らずに堅実に、しかも油断なく時節を待たなければならない。いわゆる宋襄《そうじょう》の仁で、世の薄志者を気の毒がって甘やかすのも禁物。ウマイ儲け口に欲張って乗せられるのも禁物。つまらぬ侠気《おとこぎ》を出して借金の保証に立つのも禁物。初めの間は手堅く勤倹生活をつづけていて、急に途中からぐれ出す人々を多く見掛けるが、仔細にこれを調べてみると、いずれも功を急いで不堅実なやり方をしたものばかりである。すなわち実力相当な進み方をしていればよいのに、資産不相応な融資をしたり無理算段の投資をしたり、おのれの器量以上に大きな仕事や、不慣れな事業に手を染めたり、とにかく、いたずらに成功を焦ったり、堅実を欠くに至った人たちが失敗に帰しているのである。だから、少しばかり金ができても、早く金持ちになろうとか、急に財産を殖やそうと焦るのは、たとえ一時の小成功を収めることはあっても、必ず最後はつまずきを招くものであるから、何人もよくよく注意しなければならない。

「初めは処女のごとく、終わりは脱兎のごとし」という言葉もあるが、何事をなすにも、最初はだれしも細心に熟慮を重ねる。そうして、その道の先輩や学識経験者の意見を尊重してかかる。ところが、一度《ひとたび》順調に向かうと、たちまち慢心を起こして、自分独りでエラクなったような気になりがちなものである。こうなるともう先輩の意見も聞かず、第三者の批判を馬鹿にしてくる。とどのつまりは、無謀な大事業や不慣れの仕事でたちまち大失敗を招くことになる。――もちろん、中には大成功といったことになる者もあるが、それはごく稀の事例に属する。

私のところなどへも、従来何かと相談に来ていて、ある程度の成功を収めた実業家も多数あった。しかし、中には一時の成功にたちまち慢心を起こし、事業経営に対する敬虔の念を失い、せっかく相談に来ながら、私が極力反対したにもかかわらず、無謀の拡張を行ってまんまと大失敗した人々も少なくなかった。もとより、私などはなんら実業上の体験もなく、経済上の学識に富むというわけでもないが、それでも、そのことに利害関係をもたぬところに、いわゆる「岡目《おかめ》八目《はちもく》」という、当らずといえども遠からずといった判断ができたのである。したがって、私は事業を守り、財産を守ろうとする者は、常に怠らず他人の意見に耳をかすことが大切であると考える。

ちょっとした成功を収めて、それを守ることに急で、人の申し入れはすべて借金や融資の申し入れとのみおそれて、その耳をふさぎつづけることははなはだ危険である。

人間というものは、金がなくても、金ができても、得てして偏狭になりやすいものだ。大いに心すべきである。

寄附金の楽な出し方

ところで、これまではもっぱら自分の事業を守り、財産を蓄積することについての心得であったが、ある程度自分がそれに成功した上は、自分も成功しつつさらに人にも成功させるために、その余力を割くことが成功者の社会的責務である。また自分の成功を大成せしむるゆえんでもあることを忘れてはならない。それには有意義な仕事に資金を出してやることもあろうし、微力な者に力を添えてやることもあろう。とにかく、世の中で自分だけよければ、ほかはどうなってもかまわぬということでは満足な世渡りはできない。

私は五十からの理想として、自分の確実に得られる年収を四分し、その一分で生活し、一分を貯金し、一分を交際修養に当て、残りの一分を社会有用の事業に投ずることにつとめてきたが、いわゆる私の「四分の一貯金」は、最後において「四分の一奉仕」ということに変わってきたのである。だから、私はこの「四分の一奉仕」をある程度、財産的成功を収めた人々にぜひおすすめしたいと思う。

しかし、この場合その金の出し方に一つの注意がある。それは当時として出せるだけの金を出し、それ以上**出すことの予約をしてはならない**ことだ。何もかも一時金がよろしい。各種学会や社会事業の会費のごときも、たいていの会は一年分の十倍か二十倍を一時金に出せば生涯出さずに済むような仕組みになっている。またそのほうを選ぶことが双方に利便が多い。とにかくこうした会費に限らず、有意義な仕事を助けるために出す金も、僅かの金だからとて、この先毎月いくらずつ出すとか、何ヵ年賦にして寄附するとかいう予約にすることはどうもまずい。時勢の変転につれて、自分のふところ工合も変わってくるから、約束の実行が苦しくなったり、惜しくなったり、ときには不可能になったりする。そればかりではない、いったん約束すると、先方はそれを当てにもするし、また既得権としてムリヤリ要求してくる。こちらも気持ちよく出すはずであった金が、しゃくにさわって渋々出すことにもなり、お互いの仲が気まずくなる場合も出てくる。

そこで私は、こうした奉仕出資にも、そのときどき、出せるだけのものを出して、先々《さきざき》の約束は一切しないことにしている。ただ青年学生の学費のごときは、性質上どうしても永年にわたる予約になるので、これは約束と同時に、その全額を別途に預金の設定をすることにした。そして、入用の都度、その通帳からいちいち支出するようにしてきたから、多少手数がかかるだけのことで、いずれも借金を取り立てられるような苦痛はなく最後まで気持ちよく出せた。また本人とても気安く受け取ることができたのである。

「四分の一奉仕」と社会的財産税

最後にもう一つ大切なことがある。それは、要するに財産は社会の寄託で、財産を多少でも築き上げた者は、税務署へ納める税以外に、またそれに相当する「社会的財産税」を覚悟すべきことである。これは右に述べた「四分の一奉仕」で十分尽くされることでもあるが、日常の些細なことにも、それが細心に尽くされねばならぬということである。

何事に成功するにも、理性をもって感情を抑えることがきわめて重要である。しかし、場合により、理性はどこまでも枉《ま》げてはならないが、その理性をムキダシに現さないで、愛嬌というか、人情というか、ともかくそうした類の衣裳を着せて出すことが必要である。言葉をかえていえば、幾分か理性を抑えて情に負けることが大切である。

たとえば、馬鹿げた失敗をしたうえ金をもらいにくるような者に金を与えるのは、まるでドブの中へ金を捨てるように思えるが、そこはいわゆる「小言はいうべし、酒は買うべし」で、その将来を戒めると共に、多少の金をその場でめぐんでやるくらいのゆとりをもちたい。

これは本人にもおのずから反省の機会を与える場合にもなろうし、また自分のためにも財的社会税を支払う結果ともなるのである。渋沢栄一、安田善次郎の両翁は、共に理性の発達した財界の偉人として私の尊敬する人物であったが、安田翁凶刃に倒れ、渋沢翁が最後まで安泰におられたのは、正にこの辺の用意の差に由来したものと信ずるのである。

現実と遊離すべからず

ながながと自慢半分に「私の財産告白」をつづけてきたが、これが果して純正な告白になっているかどうかは、まだまだ娑婆気の抜け切らぬ本多にはわからぬ。しかし、娑婆気の抜け切らぬだけにその説くところのすべては、現実の世の中ともあまり遊離していないと思う。八十五年の体験による処世と経済の真実が、多分にここにふくまれておると自ら信じている。読者諸君も古くさい老人の繰《く》り言《ごと》などと馬鹿にしてしまってはいけない。

そもそも金についての義理と人情とは、いまも昔もそう大した違いはなく、洋の東西にも変わりはない。しかも世の中のことは、ほとんどすべて、この金銭に関連をもつもので、金銭問題をはなれて世渡りはないとまでもいえよう。

金《かね》を馬鹿にする者は、金《かね》に馬鹿にされる。これが、世の中のいつわらぬ実情である。財産を無視するものは、財産権を認める社会に無視される。これが、世の中のいつわらぬ現実である。

読者諸君はこの本多の長談義の中から、たった一つでもよろしい、自らなるほどとうなずかれるところがあったら、ただちに、それをあなたの実行実践に移してください。実行実践に移していく以外に、当たり前のことを当たり前に述べた私の言説のもつ価値はあるいはきわめて乏しいであろうから。

――私は昔から架空の議論は努めて避けることにしている。常に真実を見、真実を語るのが私の建て前である。

五、これからの投資鉄則

百万円作った青年へ

今年の八月のことである。「私の財産告白」を読んだという人が、雨の中をわざわざ訪ねてきた。初対面の挨拶もそこそこに、御用件はときくと、

「先生に大金持ちになる秘伝を承りに推参《すいさん》しました」

というのだ。突然にまた変な人が舞い込んできたものと思ったが、とにかく、書斎へと招じ入れた。

「私はまだ二十八の若僧です。中学卒業後五年間満州に出征、幸い怪我もなく無事に帰還しましたが、その後死にもの狂いで金儲け仕事に志しました。もちろん明るい商売もしましたし、ヤミ商売もやりました。――これはどうもやむを得なかったことで

す――さて、命かぎり、根かぎり稼ぎつづけて、四年間にやっと百万円の金を作りました。ところが、先生の御説をうかがうと、大金持ちになる秘伝は、初めに一所懸命まず雪達磨《だるま》の芯をこしらえ、それができたら、巧みに貯金から投資に転ずることだとありましたので、それを改めてうかがいに参りました」

と、その青年はいろいろ身の上話をつづけた。私も私の責任において、何か答えねばならぬので、その話に興味をひかれつつ先を促した。

「自分もやっと百万の――戦前のまあ一万というところですか――金持ちになりましたが、いやいまどきでは、何も金持ちとはいえませんでしょう。小金持ちの類ですかな。それが、ここまできて、先生のおっしゃる雪達磨《だるま》の芯になるどころか、かえってメリメリ減り出したので、少々あわて気味になりました。そこで、先生のところへ駆けつけて今後の行き方を承ろうと思ったのです」

と、いとも真面目な態度である。やや気《け》おされる感じで、私もいよいよ、これでは精い、い、いっぱいの智恵をしぼって、なんとか、いわゆる秘伝を授けねばなるまいと考えさせられた。

二億円をこしらえる法

その青年は、一生の中に、ぜひ二億円以上の資産を積みたいというのだ。「それはお安い御用……」と、私は即座に答えた。

今日の二億は、戦前のまず百万内外の金だ。僕のような鈍才で、貧乏な月給取りでも、実は四十のとき、すでに百万以上の資産を持つ身になったのだから、君のような秀才――中学を首席で出たのだそうな――で、しかもその方面に専心する立場にある者なら、運がよく、努力をさえ怠らなければ、四十か五十までには、必ず一億や二億の金持ちにはなれるから、とにかく、安心して僕のいう通りを実行したまえといい切った。

しかし、金儲けは理屈でなくて、実際である。計画でなくて、努力である。予算でなくて、結果である。その秘伝はとなると、やっぱり根本的な心構えの問題となる。

そこで、私のお説教は例によって、まず「処世の要訣」におちた。二億円からの大金持ちになろうというからには、なんとしても積極的に、人並み以上の大活動を覚悟しなければならぬ。頭も体も人一倍に働かさねばならぬ。しかも暮らし向きは消極的に、人並み以上にできるだけつめてかからなければならぬ。家族一同気を揃えて、最低生活に甘んじなければならぬ。

こうして、「ならぬならぬ」を辛抱強く実行して、やがてはその希望を必ず達するという確信の下に、明るい生活をつづける。そうすれば、霊肉一致、身心一如、ないしは身心相互補助の理によって、健康も得られ、活動力も生まれ、すべてによい判断もうかんできて、大願成就疑いなしと焚きつけたのである。

「ところが先生、雪達磨《だるま》には芯になるものが大切だ、とおっしゃるのに、その芯になる金が、今日何をやっても細るばかりで、気が気でありません。そこのところをどうしたらいいか、どうか具体的に……」

と、敵もさる者、なかなか通り一ぺんの秘訣では後へ引かない。

そこで、私も改めて、彼氏の百万円を巨細に検討することにした。そうして、かれにきき、これに答え、いろいろ今日の情勢なるものをも察して、新たに私の勘案した「これからの金儲け投資法」を、説き直すことにした。

一時的流行物の危険

その青年は、手持金百万円のうち、早くも実は二十万円ばかり食い込んでしまった、ということだった。どうして食い込んでしまったかのせんさく沙汰は無用として、ともかく、ここに問題なのは、現在の八十万円から出発して、どう二億円に達するかである。その具体的利殖法である。

それに対して、私はだいたい次のような投資策を考え、かつそれに必要な実行上の注意を添えたのである。

投資の第一条件は安全確実である。しかしながら、絶対安全をのみ期していては、いかなる投資にも、手も足も出ない。だから、絶対安全から比較的安全、というところまで歩み寄らねばならぬ。そうして、その歩み寄りの距離だけを、細心の注意と、機敏な実行で埋め合わさなければならぬ。

昔から、卵は一度に同じ入れ物に入れて運んではいけないといわれているが、投資もそれと同じで、有利有望と思っても、一つの事業に入れ上げてしまっては危険である。常に正しい判断の下に、幾口にも分けて投資し、いわゆる危険の分散を行っておくのが賢い行き方である。そうすれば、一で失敗しても二で成功し、二で損をしても三で償うということもできる。十が十までみなプラスを望むのは至難であるが、全体としてプラスになっていきさえすればそれでよいと覚悟してかかるべきだ。

投資と経営とはちがうのだから、投資家が一業にしばりつけられ、一局部にのみ目をうばわれることは、大損のやり方である。できるだけ一業に深入りせず、常に多方面に眼を配って、ムリにわたらぬ限り多方面に投資しなければならぬ。

この青年の場合、私は最少限度二口の投資先――質屋と理髪店に賛意を表した――ほかに本人は、新設競輪場の出資にとくに熱意をもっているようであったが、これは濫設の結果、自然競争となり、利益も減り、経営もみだれ、その弊の極まるところ、ついに高税、または中止、解散のおそれを生じてくる。風教上からも好もしくない。そこで、一時的流行物に対する投資の危険を説いて、極力反対したのである――幸か不幸か間もなくそれが当たってきた。

資金で資金を引き出せ

八十万円を月四分に回す。これは右の投資口二つによるものであるが、月々三万二千円と、元金返済の月割四万円、合計七万二千円、これを、まず、必ず全額銀行預金に入れてしまうことを私は申し渡した。

すると、その青年は、三、四ヵ月たてば、銀行預金が二、三十万円になるから、それを引き出して再投資するのですかと反問した。私は「否《ノー》」と答えた。その代りに、その預金増加の信用を利用して、別に新たに銀行から貸し出しを受けるようにとすめた。安い利息で自分の金を遊ばせておいて、銀行から年八分なり一割の金を借りては損ではないかというが、自分の金には限度があるけれども、銀行の金にはそれ以上のものが求められる。銀行に年一割の利息を払っても、一方四割八分の投資をつづければ、差し引き三割八分の利益が得られる。

そこで、ここに最も大切なのは投資先の監視と指導ということになるが、それさえうまくいけば、あとはもう雪達磨《だるま》の坂落としみたいなものである。安全確実の手を講じて、慎重に、機敏に、これを何十回、何百回と繰り返せば、二億円長者になることぐらい、いと易いものである。

もっとも、これは紙上のプランで、プランと実際とはいろいろに食い違ってくる。その食い違いを、その都度、善処し、改革し、新しい観点から新たに工夫をこらしていくのが、すなわち個人個人の働きであって、利殖の成功不成功は、やっぱり、その人の努力如何にかかってくるのである。

青年に対する話は、再び私の持論「人生即努力」におちたようだった。

常に社会情勢を見守れ

こうしてときどき、私は「大金持ちになる秘伝」を問われて面食らうが、実はだれにもすぐやれて、安全確実なという具体的秘策は持ち合わさない。ことに今日の社会情勢は、資本家を抑え、大金持ちをできるだけ作らない方針が取られていて、いわゆる乏しきを憂えず、等しからざるを憂うというので、畢竟、共貧、共愚をめざすかのごとき傾向にある。この持てるものを守るにすら困難の時代に、あべこべな資本家的進出を志すなどはいわば時勢への逆行で、正直にいって至難のわざと思える。

それをあえて貫こうとするには、何人としても人一倍の努力と工夫とを要する。うんと働いてうんと節約する以外に手はない。ことに時代思潮の動きをよく察知して、そのときどきの法制、とくに事業法規や税制、労働法の変化に注意し、それに臨機応変の処置をとっていかねばならぬ。しかも、何から何まで相当の早手回しを要する。そうして、それらの動きにおくれることなく、またその上、事業的にも、生活的にも、社会に嫉妬の敵を作らぬようにつとめなければならぬ。これが、「これからの行き方」

の一番大切なところである。

ところが、いかなる時代、いかなる場合にも、勤倹貯蓄が資産蓄積の基礎をなし、工夫と研究を積んだ投資が、これを倍化していくことには変わりはない。しかも、時勢は常に変化を繰り返し、昨日の非は今日の是、今日の是はまた明日の非に動くものであるから、この動きを巧みに利用して、いよいよさらに大を成さしめる努力を怠ってはならない。

これに対して私は、**「好景気、楽観時代は思い切った勤倹貯蓄」**（すなわち金を重しとする）、**「不景気、悲観時代には思い切った投資」**（すなわち物を重しとする）という鉄則を樹てて直進することを人にもすすめている。

要するに利殖の根本をなすものは、「物と金」の適時交替の繰り返しであって、その物的投資対象には、株式、土地、山林、事業出資等を挙げ、やっぱり昔からの財産三分投資法を説いているのである。

私の体験社会学

一、儲かるとき・儲からぬとき

金は生物である

『実業之日本』に連載した「私の財産告白」を読んで元満業社長の鮎川義介《あいかわよしすけ》さんが、――いやあ、全く大したもんだ――と感心しておられたそうだ。ある知人からの最近の便りに知らせてくれた。

　これを聞いてさすがの私も少々面《おも》はゆく感じたが、およそ私とは対蹠的な存在だったともいえる、豪快な、事業界の雄、天下の鮎川さんが、貧弱な「私の財産告白」の、どこにどういう感心のされ方をしたのだろうか。おそらくそれは、小を積んで大を致さんとする凡人の執拗な努力に対し、天才肌の氏が、「ハハン世の中にはこういう行き方もあるものか」と、笑止千万な別世界を発見してほくそ笑《え》まれたのかも知れない。

いずれにしても、数多い私の愛読者の中に、私の尊敬してやまぬ鮎川義介氏を加え得たと聞くは、近頃の欣快事でなければならぬ。

今回——いやあ、全く大したもんだ——といってくださった鮎川さんに対して、実はこの本多も、心ひそかに、——鮎川さんという人は全く大したもんだ——と感嘆これを久しゅうしていることがある。告白ついでに告白するとしよう。

それはいまから十数年前のことだ。当時日の出の勢いにあった日産で、伊豆大島とその近接諸島を開発しようという大計画が立てられ、私もさっそくその調査団の一員に加えられた。差し当たって大島の現地視察であるが、その同勢の大がかりなこと、その日程行事の豪華を極めたことに、私始め一同の者が驚きの眼をみはらせられた。たしか調査団の幹事長役が河合良成君だったと記憶するが、いかに自分の腹を痛めぬ金だとはいえ、よくもまあ、あんなにズバズバ使えるものだと思えるほど、痛快な使いッ振りをみせたのだった。金に糸目をつけぬとは正にこのことで、われわれの旅行が愉快の限りを尽くしたのはいうまでもない。

なんでも聞くところによると、その調査費は八十万円――いまの何千万円か――予定されておったとのことで、私は改めて大ビックリ。帰来、持ち前の老婆心から、人を介して鮎川氏にその膨大予算の無駄を指摘すると、

「これッぽちに驚くとは、学者というものは気の小さいものだ。一つ見込みをつけて事業をやろうとするからには、何事にもまず思い切って調査費を出さなければならぬ。調査費というものは決して無駄にはならぬ。調査費にドッと掛けるその勢いで、できない仕事もついでき上がってしまうものだ。それに、金というものは、生きている、イキのいいところで、どんどん使ってしまわなければ、この八十万円でも、いまに三十万円にも、二十万円にも、僅か八万円にも使えないときがくる。金はいつでも、イキのいいところでどんどん使っておくことだ」

という返事であった。私は実に恐ろしいことをいう人だと驚いたが、また事業家として目先を利かすのも、太ッ腹に金を出すのも、まずこれくらいにならなければ、一仕事も二仕事もしようという人はダメかなと感心もした。

日産の大島開発計画は、その後時局の変転で沙汰止みとなってしまったが、日産は間もなく満業に衣更えして、華々しく大陸に進出した。そうして、かの地でも鮎川さんは同じような考え方でいろいろな事業を計画され、ある公益財団などにも、何年以内に全額を使い切ることという、前代未聞の条件付きで大金を寄附されたりなどしたそうだが、後年の大異変とインフレの到来を、ケイ眼神のごとくすでに見通しておられたのかと、改めて驚嘆の舌を巻かされたのである。

失敗に囚われるな

こうした天才的な、新しい見方、考え方で押し通してきた鮎川さんの上にも、またその反対の道を小心翼々として歩いてきたような私の上にも、一様に、戦後の大変革の巨浪はおそってきた。そうして、さらに一様に、失うべきもののすべてを失い、崩さるべきもののすべてを崩された。お互いにただ感慨なきを得ないわけである。

古往今来、天下滄桑《そうそう》の変《へん》の前には、天才者も凡人も、大事業家も小貯蓄家も、共に蒙るべき打撃に、大小軽重の差はなかったようである。世界が動けば、自分も動く、世界がいかに動いても、自分だけはどうあっても動かぬという決《き》め手は、昔からついぞだれにもなかったようである。

ここで私は、「時勢には勝てない」という詠嘆と共に、「人生は七転び八起き」という古い言葉をいまさらながら思い起こしたい。

これもまた「私の財産告白」を読んだというのであるが、最近F市のある青年が突然訪ねてきて、「先生わたしはどうしたらいいでしょう」という相談である。

話を聞いてみると、その青年は戦後、一地方都市にあって相当大儲けをしたとのことだ。ところがどんどん不景気になって儲からなくなった上に、ある悪質な取引先のペテンに引ッかかって、二十万円ばかり詐取されるかたちになり、それがしゃくにさわって毎日の仕事に手がつかないと申すのである。

そこで私は、その二十万円は君にとってどれほどのものかと聞きただすと、いやそれほどのものではない、ほかにも相当の資力がまだ手元に残されているということである。私はそこで再び突っ込んだ。

それでは君は失《な》くなった二十万円のために、残りの何十万円まで失くしてしまうつもりか、詐取されるには詐取されるだけに自分としての手ぬかりがあった、未熟のせいである、どうしても取れなくなったものを取ろうと焦って他事を放擲するのは、盗人に追銭よりも愚かな話ではないか、もちろん、そうした悪徳者をこらしめ、他人に害毒を及ぼさせぬため、一応その筋に執るべき手段《てだて》を執るのはよろしいが、取れないものを取り返そうとする妄執はさらりとすてて、それだけよけいに残された仕事に精を出すのがいいじゃないか、二十万円の損失は痛手には相異なかろうが、それだけの痛手で、ヤケになったり意固地になったり、またこれからの考え方に、君自ら世の中を曲がって見るようになってはもうダメだ、それこそ本当に大失敗になってしまう。見掛けるところ君もまだ若い、今回の痛手を生きた社会学の月謝とみるかみないかで、F市における事業家としての君の将来が決せられる。散る花を追うことなかれ、出ずる月を待つべしじゃと、くれぐれも過ぎ去った失敗にこだわらぬことを教えた。

そこで、その青年も、来たときとは打って変わってさえざえとした顔付きになって帰っていったのである。

恐るべき被害妄想

一度何かに失敗した人は、——あるいは反対に、ある程度の成功を収めて、その小成に安んじようとする人は、自ら求めて一種の被害妄想にかかるものが多い。これは他人がみな自分の敵であり、自分を害するに鵜の目鷹の目であると妄想する結果で、失敗したものは悲観のあまりに、また小成功をしたものは自己警戒のあまりに、それぞれ期せずして同じところへ陥るのである。はなはだしきは被害妄想狂という精神病にまで発展するものがある。

ことにその失敗の原因が自己以外にあり、時勢の変化とか他人の不徳に痛手を蒙ったものなどは、時運はすべてわれに非だ、しかも世間の奴らはどれもこれも、忘恩、背徳、詐欺、ペテン、裏切者ばかりのように思われ、自分はそれに傷つけられたとか、もっとひどく傷つけられそうだとか、勝手に決め込んでしまいがちである。気の小さい初めての失敗者にこの種の人をよくみかける。そうした人々は自分勝手に悲観し、絶望し、針小棒大にその不幸を吹聴し、ついには他人にもそう思わせようと躍起になる。もしも他人がそれに同情しなければ、世人はこのようにみな不親切、冷淡であると、いよいよ本気に悲観することになる。

こうした妄想にとらわれた人は、世の中は決して自分一人のために動いているのではない――助けつ、助けられつ、共に手を取り合っていかねばならぬことを自覚し、一切の妄執を振り払って自分自身のいまの、そしてこれからの仕事にいっそう熱中していくようにしなければならない。そうすることによって初めて、本務をすすめいままでの失敗を取り返していくことができよう。ことに被害妄想者の救いはここにしかない。

物事を成すには、とにかく一本に打ち込むことが大切だ。しかし、熱心もよろしいが、あまりに執着に過ぎると、判断力もにぶり、考えも偏頗《へんぱ》になり、とんだ妄想に陥りやすい。仕事の能率もはなはだしく低下してくる。だから私は、一仕事終わったらその結果がどうあろうと、まずそれをキレイに忘れること、少なくとも忘れるように気分転換につとめることを皆さんにおすすめする。

それにどんな方法がいいかは、人それぞれの性格、境遇、趣味、教養によって異なるものがあるから一概にはいえぬが、疲労回復に効果があり、精神的に苦痛を感ぜず、反社会的のものでなく、しかもできることなら少しでも本職の援《たす》けになるものであることを希望してやまない。

人生における七転び八起きも、つまりは天の与えてくれた一種の気分転換の機会である。これを素直に、上手に受け入れるか入れないかで、成功不成功の分かれ目となってくる。若い、将来のある人々で、七転びどころか、一転びしただけで、もう起き上がる勇気を失う者の多いのははなはだ遺憾である。

私の過去にも七転び八起きはあった。事業の話が出たついでに私の十八番《おはこ》ともいうべき山林関係の仕事にも、うまくいった話、うまくいかなかった話などいろいろあり、その二、三をここに御紹介しておくとしよう。

一町歩八十二銭の山林を買う

大東京の飲用水を一手でまかなっている多摩川上流の水源林は、いまでこそだれも認めてスバラシイものとしているが、その昔は、濫伐《らんばつ》と焼畑《やきばた》のためにあやうく荒廃に帰せんとしていた。土砂は流れる、水源は涸渇する、しかもちょっとした雨にも洪水となる。私が見るにみかねて、その保良保護を当局に進言したのは、明治三十年のことであった。

ところが、当時の松田秀雄市長は、御献策は有難いが、何しろ金がないのでと逃げた。やむを得ず、私は時の東京府知事に話をもちかけると、天神髭の出雲のカミサマ然たる千家《せんげ》尊福《たかとみ》さんは、さすがに、わかりが早かった。

「いや御忠言を感謝する。元来これは市がやるべきことだが、市に財源がないとすれば、監督官庁たる東京府で経営しなければならぬ。では、さっそくだが貴下に調査を頼もう」

「それは困る。私は自分でやりたくてこれを持ち込んだのではない。しかも私には水源林経営の知識もない」

「そういわんで、まアまア」

という次第で、とうとう私がその大任を委嘱されてしまった。そこで明治三十三年、「東京府森林調査嘱託」の名のもとに、大学本務のかたわら、その仕事をつづけることになった。

さて、実地にいろいろ調査をすすめていると、濫伐の上にも濫伐のおそれがあった日原川上流の民有林一帯数千町歩をまず保安林に編入し、それと共に本流筋の御料林を大分これに加える必要が生じてきた。そこで早速当時の帝室林野局長官岩村通俊氏をたずねて、大東京百年の計画のために御料林の一部を譲り受け、次いで大々的に民有林の買い上げをしなければならぬことを説き、その賛意を求めた。長官は大いにこれを諒とせられ、事業が事業であるからできるだけ便宜を与えようと答えられた。私はただちに具体的交渉にうつり、水源地に属する御料林は、自分の目測の結果ではだいたい台帳面積以上ある見込みであるが、事は急を要し、しかも実測には長年月を要するから、官庁同志の譲渡でそこは問題にはならぬ、ぜひ台帳通りですぐ取り引きしてもらいたいとつめかけた。実は私は、単価がいくらで全体でいくらいくらになり、東京府でそれだけの金をウンといって出してくれるかどうかも考えていなかった。必要なことで、有利なことなら、なんだってすぐ片付けるに限ると思ったからである。

その頃、その地方の山林単価は、一町歩土地立木ともで十円十三銭、台帳面積六百六十九町三反五畝というのであったから、総計六千七百八十二円と計算された。私はただちに府へ引き返し、府参事会を招集してもらって、一も二もなく承認させてしまった。

翌日林野局の長官室へ出向くと、岩村氏は困り切った顔付で、

「けさ、係の者に調べさせてみたところ、実際面積は仰せの通りに台帳よりも多いそうだ。それが数倍以上にもなるというからちょっと困った。譲渡はどうしても実測面

積にしてくれ」

という申し入れである。私も若さの一徹で、これには大いに腹を立ててしまった。しかも結果的には、この腹を立てたことがよかったようだ。

「あなたは昨日、私に台帳面積でよろしいからといわれたことを御記憶でありましょう」

「それが、あまりにちがうようで、部下の者が困るというから……」

「いやしくも男子の間に、とくに長官と知事代理としての私との間に、一度口約したことを、いまさら変更するわけにいきませんでしょう。私はあなたの言を信じて、昨夜とくに府参事会を開かせ、正式の決議をもって、今日ここに知事代理として公式に出向いて来たのです。あなたは私に切腹させるつもりですか」

と詰め寄った。

長官は顔色を変えてしばらく沈黙していたが、やがてポンと膝を打って、

「よろしい、いやよくわかりました。口約を実行しましょう」

と部下の反対を押し切り、ただちに正式書類をこしらえて捺印してくれた。内心本当に腹でも切り兼ねまじく上《あ》がっていた私は、これで全く蘇生の思いをした。その頃の御役所仕事というのも実に簡単だったし、また長官となるくらいの人の肚も大したものだった。

これが、いま東京都資料にどう伝えられているか知らぬが、水源林譲り受けの真相で、またも私の手柄話のようなものになったが、のちに問題の山林を実測してみると八千二百余町歩もあって、それが僅々六千七百円というのであったから、一町歩八十二銭弱とは、さすがの私も少々あきれ返ったわけである。これが、私の一生一番の大儲け仕事(ただし儲け主は府)であった。そして、この折衝での大きな教訓は「正直に腹を立てる」ことが、時と場合によって思わぬ好結果をもたらすということである。

素人炭屋失敗の巻

多摩水源林の買い入れ設定には、血気にまかせて敏速に活動したので、事務嘱託の私としても幸い大成功を収めることができたが、その経営には人知れぬ苦労をなめた。そうして、ついに表面にこそ現れなかったが、それに伴う大失敗があった。いままでの私の話で、読者諸兄が山林事業は儲かるものとばかり誤解されてもいけないので、そのいきさつをここに略述しよう。

御料林の東京府譲り受けがすむと、私は公然、東京府水源林経営監督という辞令を受け、明治三十四年から一切の監督指導の任に当たった。その人事構成や造林経営の苦心は、いささか専門の事項にわたるのでしばらくおき、雑木処理のために三十八年から始めた製炭事業にはすこぶる手を焼いた。それは、旅費を前貸して雇い入れた炭焼人夫に、雪がふかくて仕事ができぬといって逃げ出されたり、食い込みの借金を作ってドロンをされたりして、これを防ぐに厄介を極めたばかりでなく、一方せっかく東京まで運び出した十万俵の木炭の売れ口に困り、ようやく市、府、内務省などに買ってもらうことにしてひと安心と思ったのに、役所の小使にツケトドケをしなかったので、炭がハネるの、イブるのと難癖をつけて断られる始末、また炭問屋では代金を支払わぬものが出たり、塩山（甲州）の積置場では下のほうから蒸腐りになって、俵の手直しに予算外の失費が生じたり、さらに新宿駅では期間超過の倉敷料を徴収されるなど、いやはやさんざんの体たらくであった。

こうして、御役人の素人商売にさんざてこずりながらも、ともかく十年ばかりの間に、利用、造林、管理の三方面にたしかな方針が立ち、ホッとひと安心というところへ、府市経営移管の問題が起こり、さてここにまたまた困ったのが炭焼の「下り《さが》」処分であった。

元来官庁の会計規則としては、炭を焼き上げた上でなければ焼き賃を支払うことができぬはずであったが、実際において人夫は無資力であり、何から何まで立替前渡しを必要とした。ことに築窯の間や、本人または家族が病気の際などは、米、味噌、醤油等多少の貸し越しがあった。それを俗に「下り」というのである。そしてその償却は米、味噌の売却益金の中にみこんだ利益で徐々になされることになっていた。当時の場合、その「下り」も漸次減少しつつあり、いま二、三年で完全帳消しになるところへ、突然に移管引きつぎということになったから、会計規則違反の赤字をどうしても暴露しなければならなくなった。それは当時としてはかなりの大金である七千五十円十銭という額であった。もしこれが皆済されぬとなると、営林署長以下が処分を免れぬことになり、未来のある若い人々がつまずかねばならぬ。直接監督の任に当たった私としては、元より法規上の責任はないが、情においてはとても忍ぶべくもない。ついに私はその全責任を負うことに決めて、父と妻とに相談した。すると父は、

「お前は十年余も苦心しつづけ、お礼代りに大変な身銭を切らされるなんて、いやはや呆れたものだ」

と叱ったが、しかし、私が部下のために犠牲を払おうという意のあるところを、ついに諒解してくれたので、私も、

「失敗はみんな自分の未熟不徳のためです。だが、私はこれによって、初めて造林や林業経営の実際を学びとったのですから、生きた学問の月謝と思えば安いものです」

と、その許しを得て引き退《さ》がった。

さっそく、これを時の署長（菊地）、技師長（中川）に告げたところ、両氏も大いに感激せられ、府から解任手当として下附された一千六百余円（菊地）と百二十円（中川）とを、そっくりそのまま投げ出したいとの申し出があり、またこの間の事情を聞き伝えて、塩山町の仕送り問屋であった風間久高という人も四百六十余円の債権を切り棄てると申し込まれてきたので、結局私はその不足額四千八百三十七円九十六銭を差し出し、署長以下の無事を完うすることができた。

時に明治四十五年三月であった。

失敗は人生の必須課目だ

総じて世の中のことは、一から十まで何事もうまくいくものではない。ちょっとした出来心の気張り方で大成功を収めることもあるし、また小心翼々として長年苦心をつづけてきたものがついに失敗に終わることもある。金を儲けるのも、大損を招くのもまた同じことで、要するに、やれるだけのことをやってきたのなら、その結果についてそういつまでも悔《く》やむことはない。問題はそれを「よい経験」として次の仕事に生かしていくことである。

東京府林の「下《さが》り」問題のごときも、私のような俸給生活者にとって、四千八百円からの自腹供出は全く痛いものであった。それは今日の数百万円にも匹敵する大金で、もし私に勤倹貯蓄の用意がなかったら、完全にこれでペチャンコになっていたところである。私ばかりではない、数多い将来性のある私の協力者の生涯をも、同時に損《そこな》うに至っていたかも知れない。しかし、幸いにも私には、この失敗を切り抜ける力が貯えられていた。これも府林の調査嘱託を受けてから、いろいろ実地に教えてもらうことの多かった十二年間の月謝だと思えばあきらめもついた。しかも、これだけの高額月謝を払ったのだから、今後はいっそう勉強しなければならぬといった自覚と勇気がおのずから内にわき上がってきた。

爾来今日まで、私は、東京府林のほか、徳川、戸田、西郷、松方、渋沢等各家の大森林や大農場の開発指導に関係しつづけてきたが、幸い大過なくその任を果しおえたことは、ひとえにこの時代の苦《にが》い経験の賜であると信じている。それゆえ、私は体験社会学の一章としてこういいたい。「失敗なきを誇るなかれ、必ず前途に危険あり。失敗を悲しむなかれ、失敗は成功の母なり。禍を転じて福となさば、必ず前途に堅実なる飛躍がある」と。

　失敗は社会大学における必須課目である。私は、この大切な課程を経たものでなければ本当に成功（卒業）ということはないと考えている。失敗の経験がないと誇ることは、すなわち、必須課目を修めていないと威張るようなもので、全く意味をなさないのである。したがって、私は一緒に事業を企て、仕事を始める場合、その友人がいままでにどんな失敗をしたかをまず知る必要があると思う。一度も失敗したことがないというものは、またあまりにもしばしば失敗を繰り返しているものと同様、警戒の要が多分にある。失敗の教訓を生かすか生かさないかは、実にその人の大いなる試金石であって、一度や二度の失敗で、すっかり闘志を失ってしまって、何事にも、すぐこれは大変だ、厄介なことだ、苦しい、面倒だ、できそうもないなどと弱音を吐くようになってはもうお仕舞いである。鮎川さんのような事業の天才にも、得意時代もあれば、失意時代もある。ましてや、戦後駆け出しの若い諸君が、てんやわんやの一時代をちょっとくぐっただけで、成功の失敗のと、心を動かすのは笑止である。諸君のやっていることはまだホンの「ゼミナール」に過ぎない。

二、儲ける人・儲けさせる人

小成金たちの運命

かれこれ四十年もの昔になろうか、私の知っている一人の学生があった。いまでもいっそうさかんなようであるが、その頃の競馬（目黒）に出掛けて、一千円の大当りを取った。一ヵ月わずか六円の学資で暮らしていけた当時の一千円である。初めは手がふるえてその金を受け取ることができないというくらいであったが、使い慣れるにしたがってだんだん度胸も図太くなり、たちまち放蕩を始めて、三ヵ月後にはもう元の木阿弥《もくあみ》になってしまった。そうして、あとに残ったものは悪性の花柳病と怠け癖ばかりで、とどのつまりは、学業をすら放擲して行方不明、ついに再びその消息を聞くことがなかった。

いま私が、ここにこんな昔話をもち出したのも、決して若い人々に当節大流行の競馬・競輪を戒めようためではない。そうした類のものに血道をあげるなんて、すでに論外である。

実は、戦後のインフレ騒ぎと変動のどさくさで、全国到るところに簇生《そうせい》した大小の新円成金が、ほとんど大部分、これと同じみちを辿ったのではあるまいか、ということをいいたいからである。

金儲けを甘《あま》くみてはいけない。真の金儲けはただ、徐々に、堅実に、急がず、休まず、自己の本職本業を守って努力を積み重ねていくほか、別にこれぞという名策名案はないのであって、手ッ取り早く成功せんとするものは、また手ッ取り早く失敗してしまう。没落のあとに残るものは悪徳と悪習慣、そしてときには不義理な借金ばかりであろう。戦後いかにこうした小成金的金儲けのために、身を誤り、家を損《そこ》なったものが多かったことか。

私のここに賛する金儲けとは、決してそんなちゃちな意味のものではない。もっと永続的な、もっとモラルな、もっと社会的意義のある成功を指すのである。儲けること――それは、独り金銭上の儲けをいうばかりではなく、道徳上にも、教養上にも、生活上にも、社会奉仕上にもウンとプラスすることをいうのである。前にもしばしば、金は職業道楽の粕であるといったが、精神的に儲け、生活的に儲け、社会的地位、名誉に儲けた、儲け粕でしかないのだ。

儲けるには儲けさせよ

そもそも人生にはいつの時代にも表裏両面の生活がある。自分だけが表口に立とうとしても、人が裏口へ回れば自分もまた裏口へ回らなければならぬ場合がある。すなわち理屈は理屈、実際は実際ということが多いのである。だから、表面通り、理屈ばかりで生きようとしても通らぬし、裏面ばかりくぐって要領よくいこうとしても失敗しがちである。

早い話が、世俗にいう金儲けもまたその例に洩れないようだ。理屈ばかりでも金儲けはできないと同時に、人情ばかりでも金儲けはできない。この二つのほどよい兼ね合いにおいて、常に新しい金儲けの道が拓かれてくるものである。何事をするにも、まず調査費をウンと出さねば——といっていた鮎川さんのねらいも、実は「儲けようと思えば儲けさせろ」という理情併存のところにあったかも知れない。さすがに天才的なケイ眼といわねばならぬ。

世の中には、おのれの欲せざる処を人に及ぼし、おのれの欲する処を人に施さず、自分だけは少しでも多く儲けたいが、人に儲けさせるのは一文でもイヤといった類の者をみかけるが、そんなのに限って大成した例《ためし》はほとんどないようである。徳（得）は孤ならず、必ず隣有りで、金儲けもまた必ず相身《あいみ》互いでなければならない。儲けようと思えば人にも儲けさせ、人に儲けさせれば自然に自分も儲かってくるという寸法である。

しかも、このトナリ同志は、表口も並び合い、裏口もつづき合って、そこに必ず、義理と人情と、勤勉と努力と、何から何までよく通じ合っていなければならぬと考える。

何事に限らず、とにかく、自分だけがウマイことをしようとか、自分ばかりが「いい子」になろうなどと思ってはならぬ。自分が納め得たところのものは、もちろん、自分の努力に大部分よるものであろうが、また自分の仲間や社会・時勢のおかげによるものであることを忘れてはならない。だからその収穫のすべてを一人占めしようなんという考えはそもそもの大間違いである。ケチな根性もはなはだしい。いつの場合何事も自分一個の功となさず、つとめて人にも譲るべきである。儲ける場合必ずまた儲けさせる地位に立つべきである。しかも、これが度重なれば、ついには周囲の人々からも立てられ、成功者中の成功者となることができるのである。

渋沢さんのエライところ

この理・情兼ねそなわった大成功者として、私は郷土の先輩渋沢栄一翁をみるのである。

渋沢さんという人はなかなかの理屈屋で、理屈に合わぬことはなんとしても取り上げなかった。事業でも、寄附でも、身の上相談でも、そこに合理性の発見されない限り、てんで振り向かなかった。しかもそれは、頑固に近い儒教的な一種の合理主義《ラショナリズム》からきているもののようであった。

ところが、いったんこうと引き受けたからには、何から何まで親身になってよく世話をつづけられた。そこに多少の不合理が生じようと、理屈に合わぬことが出てこようと、今度は打って変わった人情で押し通され、最後まで親切に指導をつづけられた。理に始め、情で終わられる、めずらしい存在であった。

私が渋沢さんに初めて近づいたのは、埼玉県の学生のために育英資金を集めようと思い立ったときで、ドイツから帰って間もなくのことであった。前々から郷里関係で多少はその為人《ひととなり》を知っていたので、多くの先輩の中、まずこの人を説かねばならぬと、いまの秩父セメントの社長である諸井貫一君の父、諸井恒平さんの紹介でおしかけていった。

当時渋沢さんは深川に住んでいたが、忙しい人で、夜はまたしかるべき寄り道もある人であったから、どうせ帰りもおそかろうと、駒場から三里の道を夜になるように出掛けていって、玄関脇の書生部屋で十一時まで待った。ところが、果たしておそくなって帰宅した渋沢さんは、今日はもうおそくなったから帰れという。おそいといっても、貴方は貴方の家に帰っておられるが、私はこれから三里の道を歩いて帰らねばならぬ。おそいことの迷惑は貴方よりも私のほうにあると、変な理屈でねばって、とうとう一応の話を聞いてもらうところまで漕ぎつけた。

いったん話を聞くとなると、渋沢さんははなはだ熱心であった。夜が更けて家人がハラハラしているにもかかわらず、それからそれへと逆に質問を浴びせかけてきた。自分もまたここを先途とまくし立てたので、二人の会談は深更に及んだ。そのとき渋沢さんは、

「趣旨はなかなか結構だが、日本の国情はまだそこまでいっていない。富豪、実業家も目覚めてはいない。いずれその時期も来ようが、いまは尚早だ。それに自ら、発起

して奔走しようという君がいったいいくら出そうというのか」

と、頑強な反討論から、最後にやや冷笑的に出てきた。実は私はそれをいわれるのが恐《こわ》くてひやひやしていたのだが、意を決してザックバランに出ることにした。

「お恥しくて自分からいい出せなかったのですが、俸給を貯めた中からこれだけ用意しています」

と、兵児帯の間にかたく仕舞いこんであった三百円を取り出した。それが渋沢さんの軽侮を買うと思いのほか、その顔色がたちまち真剣になってきた。

「ホホウ、三百円をねえ。学校教師の君が出すというのか。それだけ熱心ならば、やってやれないこともあるまい。しかし、何しろ十二万円の予算というのは無理だ。六万円くらいにしたまえ、半額ならなんとかできそうかも知れん」

そこで、私はその意見に従って予算を半減することに決め、さっそく十分の一の六千円を奉賀帳にかきつけてもらった。そうして、三里の夜道を意気揚々と引き上げたのであった。

後に諸井さんの肝いりで、再び元の予算に帰って十二万円を集めたとき、渋沢さんは快くあとの六千円（合計一万二千円）を出してくれられた。しかもいったん後援を約された渋沢さんは、私などよりはかえって熱心なくらいによく世話をつづけられ、いまに牛込の高台に残る立派な学生宿舎の基礎を築き上げられたのである。

理屈は理屈、人情は人情、そうしてこれを結びつけるにあくまでも信義をもって貫かれたことは、渋沢さんのよく大を成されたゆえんと私は信じている。

義理と人情・論語と算盤

「論語と算盤《そろばん》」――これは渋沢さんが、どこへ行ってもよく振り回された事業繁栄の道、処世の要諦といったものであったが、「利」をもって立つ実業家を、さらに「理」と「情」をもって導き、自らもまたその実践につとめられたのはなかなか見上げたものである。渋沢さんはよくこういっていた。

「事業というものは、儲かるものでなければ成り立たない。儲からなくてただ有意義だというのでは、結局長つづきしないで、せっかくの有意義が有意義でなくなる。儲かる上に有意義ならなおさら結構だが、なんとしてもまず事業は儲かることが先決問題だ。しかし、この儲けを一人占めにしようなどと企てては結局失敗である。儲けるのはみんなで儲けなければならぬ。またみんなで儲かるようなものでなければ、いい事業、いい会社にはならない」

いわゆる財界世話業というので、渋沢さんはいろいろな事業企画に参与された。自発的に発起されたのもあり、担《かつ》がれて参加したのもある。しかし、そのいずれに対しても、いったん関係をつけたものは最後までよく面倒をみられた。中には大成功を収めたものもあれば、失敗に帰したものもある。だが、渋沢さんは常に誠心誠意の世話を惜しまれず、無責任に中途で逃げ出してしまうようなことはなかった。そうして、あれだけの地位、あれだけの声望があったのだから、自分で大儲けしようとすればいくらでも大儲けの機会はあったのであろうが、あえてそれを利用されることがなかった。関係者から有利な会社だとみられると、発起人としての渋沢さんの持株が、いつの間にかみんなに持っていかれ、どうも芳《かんば》しくないとみられると、渋沢さんの持株が意外に多く残るという有様であった。

「株の奪い合いが出てくるほどなら、会社のためにいいことだ。わしが儲けなければ、それだけほかの人が儲けてくれる。だれが儲けても事業の功徳、会社の功徳と申すものだ」

と、渋沢さんはいつも笑っていた。

私の知っている限りでも、当時の大実業家と称する人の中には、なかなかこの権利株の処分には妙を得た人々が多く、服部金太郎、大橋新太郎の諸氏など、ことに御義理で持たされた株の仕末は、なかなかハッキリしたものであった。

そこへいくと、渋沢さんのやり方は「馬鹿正直」に近かった。しかも「馬鹿正直」一点張りが渋沢さんの身上で、利において失うところはチャンと徳においてつぐなわれ、財界の大御所として最後まで社会の尊敬を一身に集めることができたのである。

もちろん、渋沢さんと一般の凡人とは同時に論じられぬかも知れぬが、「馬鹿正直」

も一種の徳になるところまで徹底すると、それがかえって結局においては、儲かりもし、儲けさせてもらえることにもなる。ただ普通人は「馬鹿正直」で馬鹿をみると、すぐ今度は「馬鹿不正直」に早変わりをしたりなどするからダメである。

私はこの渋沢大人の知遇を得て、いろいろ教えられるところもあり、また私のほうからさまざま事業上のアドバイスをしたこともあるが、ともかく渋沢さんは理によって動き、情によってさばき、しかも自ら求めるものがきわめて薄かったので、最後まで信じ合って各種の事業(主として社会公益事業)を共にすすめてくることができたのである。

君子と小人との間を行く

「君子は義に喩《さと》り、小人は利に喩《さと》る」という。これは論語里仁篇の有名な言葉であるが、義にばかりさとっていても生きていけないし、利にばかりさとっていても世渡りはできない。したがって、われわれ普通人は、君子と小人の間を行って、義にもさとり、利にもさとらねばならない。君子にもなったり、小人にもなったりしなければならぬわけで、その辺はすこぶる難しい次第である。渋沢翁の「論語と算盤」という提唱も、実はこの辺のところをねらったのであって、経済人たるもまた難しい哉である。

この間も近県のある都市から「身の上相談」をもちかけてきた人がある。三十そこその青年で、孔夫子のいわゆる「不惑」にはまだまだであった。そこで商売の上での惑《まど》いを訴えてきたのであるが、その問題というのはこうである。

「私の市——東海某市——で私も多少は知られた事業家になっています。資力もいささかできてきましたので、いろいろと仕事をもち込まれています。その中で、最近私の市街《まち》ではハイカラな近代的理髪店がないので、三十万も出してくれれば、目貫通りに一軒それをこしらえたいというのがちょっと面白そうです。投資利子は月五歩で、場合によっては私に経営者になってもらってもいいというのです。その人は技術をもって私の使用人になろうといっています」

この話をきいて、私は月五歩——年六割の利子は高すぎると思った。もっとも、俗に「月一《つきいち》」というのがあって、その倍も取るのがあると聞いているが、それは高利貸しであってまともな商売ではない。しかも、もう一つの行き方で、いかに有利だからといっても、全くの素人が理髪屋の親方になれるものではない。また親方にならない、裏にかくれた資本家経営者ではうまくいくはずがない。そこで私は、こんな意味のことを答えてじゅんじゅんとさとした。

「君もすでにそこまで認められてきておれば、そうそうもう自分のためばかりに金儲けを考えてはいけない。理髪店経営も、その道のものが計画を立てて、月五歩の利子で引き合うというのなら、月三歩にまけてやって出資だけするがいい。一万五千円取るところを九千円で済ませて、六千円だけよけいにその経営者に儲けさせてやることだ。まるまる儲けさせてやらなくとも、それだけサービスをよくさせるとか、償却に当てさせるとか、元金返済の貯金に繰り込ませるがいい。

つまり、ギリギリ一杯の儲けを君一人で取り上げてしまわないで、当人にも分け、お客さまへも割り戻すことだ。それならまず繁昌もしようし、経営者にも張り合いが出てくる。しかも、五歩というのを三歩にまけてもらったからという義理もからんで、月々キチンと入るものも入ろう。その代り、家屋も設備も始めから自分のものにしておくことにすれば、生じっかの高利にしたり、自分の経営にしたりするより、どれだけ、安全かつ有利かも知れない。

いったい事業家の利益というものは、ひと処《ところ》から一度にたくさん取ろうとしないで、薄く、広く、安全確実に上がってくるようにしなければならぬ。それならば君もFM市の渋沢さんになれるではないか」

こういうわけで、私は私の体験社会学に少しばかり渋沢さんの受け売りをまぜて話すと、彼は「ハア、FMの渋沢さんですか、いや、とにかくやってみましょう」と、こうふんに顔を赤くしながら帰っていった。

利己本位に事業を始めたり投資をすれば、ゆくゆく必ず関係者と利害の衝突を来して、ついに破綻を招く。論語の中で孔子サマも「利に放《よ》りて行うときは怨多し」といっている。これは政治家を戒めた言葉であるようだが、商売や世渡りとても同じことである。

馬鹿正直と商売のアヤ

話のついでに、とうとう渋沢さんに「馬鹿」の字をつけてしまったが、渋沢さんなればこそ「馬鹿正直」でいよいよエラクなられたが、われわれ小商人が「馬鹿正直」になってはおまんまの食い上げですと、先頃私も、出入りの電気屋に一本参らされたことがある。

「ラジオ屋さんもいいが、修繕をたのんでもすぐ直してくれないので困る」

と小言をいったのがきっかけである。

「先生は何事も正直がよいとおっしゃるが、そこには多少色付けが必要ですよ。修繕物をもって来られたお客の前で、ヘイさようでとすぐ直していては、商売が成り立ちません。とくにラジオ屋などは、ネジ一ついじくればすぐ直るとか、銅線一本とり替えればすぐきこえるといった場合が多く、そんなことをお客の前でやれば一分とかかりません。客は喜んで、いくらかときかれますが、あまり簡単なので、ことに懇意な間柄など、つい、いやまたあとで御一緒にということになってしまう。

だから世慣れた電気屋になると、ちょっとフタを開けて、ハハ大したことはありませんが、大分あちこち損《いた》んでいるようですから、しばらく預からして頂きますというようなことになる。そうすれば修繕料も気兼ねなくもらえるし、店先も賑やかで、いかにも繁昌しているようで景気がいい。かといって別に不当の料金は頂きませんよ。本当に家賃と、日当と、税金になりさえすれば当節有難いんですから。

もっとも先生は、そこをもっと正直にやって右から左へ片付けてやったほうが、正直を宣伝し、勉強が売り物になって、かえって大繁昌するじゃないかとお叱りになるかも知れませんが、万事商売というものはこうしたもので、いまの世の中、そんな聖人君子のようになり切ってはとても食ってはいけません。商売人には、正直にも多少の色をつけんとやっていけません。先生もその辺のところをみんなに教えてくださいよ」

ときたのである。私もこれにはぐうの音も出なかった。なるほど、実際の商売とはそんなものかと感心した。何事にも多少の色付けが必要——努力に加うるこの世渡り術の工夫、いわれてみれば私にもそれはよく呑み込めた。

前にも述べたように、世の中にはどこにも裏表がある。がむしゃらにただ正面から押し通せばよいというものでもない。一つの城を攻めるにも必ず大手《おおて》と搦手《からめて》がある。複雑な社会を一本調子で進み得ると早合点してはいけない。とくに商売などをする人には商売術の研究が必要である。もちろん、「正直は最良の商路」ではあるが、その正直に、ときと場合により、しかるべき色付けが大切であるようだ。少し曲がっていなければ杓子も物がすくえないし、真ッ直ぐ過ぎて擂粉木《すりこぎ》は自分を摺りへらす。正直もそれに過ぎて上のほうへ「馬鹿」の字をつけると損ばかりして一向にうだつが上がらぬことになる。私達の周囲にもその例を多くみかける。

されば とて、読者諸君は決して誤解してはいけない。多少の色付けをしたとて、正直はあくまでも正直、断じて不正直そのものになってはならないのだ。

三、人間的サラリーマン訓

複雑な人と人との問題

世の中で一番ありふれて、一番真剣なのは金儲けの問題であるが、これは比較的単純といえば単純、多くの場合「ギブ・アンド・テーク」で片付けてしまうこともできる。しかし、人と人との問題になると、そうはいかない。なかなかにうるさく、なんでもないことが複雑を極めてくる。

政界におけるいざこざ、事業界におけるいざこざ、学界、芸界などにおけるいざこざ、こんなものは、その実体を突きつめてみると、本質的な問題点は案外に見当たらず、人と人との感情のもつれから生まれてきているものがはなはだ多い。同じように、十人寄れば十人、百人寄れば百人だけのスケールにおいて、どんな職場にも面倒な

「人と人」との問題が常に起こりやすい。したがって、いわゆるサラリーマン訓といったものの内容も、まず、その大半は、おのずから人と人とのうるさい問題にどう善処していくかの、自戒と要領とになってくるわけである。そこで、私の大学勤務の体験を中心に、少しばかり、「勤人心得帳《つとめにん》」といったものになる、恥かき話を試みることにしよう。

もっとも大学というところは、いささか特殊な勤務先で、一般サラリーマンにはちょっと勝手ちがいの感を与える点があるかも知れぬが、どこの職場にもありがちな、人と人の利害や感情のいきさつが、やはり同じように面倒くさい問題を起こしているのだから、これも決して、俗世間と隔絶したいわゆる「象牙の塔」の出来事とばかり看すごせないものがある。

世の中なんて、どこも彼処《かしこ》もだいたい似たり寄ったりで、人間が集まり、人間の棲むところ人間の問題のないところはない。この意味において、乏しい私の体験社会学も、あるいはみなさんの世界に通用し、あるいはみなさんの処世訓ともなるものがあろうか。

あいつ生意気な？

私が学士会の寄附金に一千円を投げ出し、それが少な過ぎるというのではなく、分不相応に多過ぎるというので、同僚諸氏から辞職の勧告まで受けた事件については、「財産告白」のところで前にもちょっぴり触れておいたが、それは私が三十九の秋、日露戦争勃発の年であった。

この一件の事情も、いま少し深く掘り下げてみると、これは単なる寄附金額の多少の問題ではなく、およそ勤め先の同僚間には、こんな思わぬことまで感情の刺戟となりしゃくの種となり、果ては辞職勧告の理由にすら持ってこられるのかという、お互いに大切な反省資料となるものがある。多人数集って一緒に仕事をすすめていくためには、こうした些細なことにまで、だれしも一応気を配る必要があるという事実に気付かされるのである。

すなわち、自分一人、何も間違っておらぬつもりで——事実また決して間違ってお
らなくとも——あまりに確信に満ちた態度で押し通しすぎると、得てして周囲の反感
を招きやすい。あまりにいい気になってパリパリやりすぎると、「あいつ生意気な」
ということになりやすい。人間も「あいつ生意気な」といわれるまでになれば、ある
意味ではもうしめたものであるが、それが調子に乗り過ぎると、とんだつまずきに行
き当たる。

当時の私も、どうやらその危険地帯に足を踏み入れかかっていたようである。
「本多の奴はけしからぬ、大学を追ン出してしまえ」
と、辞職勧告の決議文をたずさえて、その際、私の研究室へおしかけてきたのが、前
にも述べたように、横井時敬君とその子分の長岡宗好君の二人、共に雄弁と喧嘩好き
で部内で知られた猛者揃いであった。

さすがの私もこれにはドキリとしたが、しかし、あとから考えてみると、この二人
は、私の驕慢を戒めるための、まことに有難いお客さんであったわけである。

顧慮すべき同僚間の思惑

さて、両君のもたらした辞職勧告の言い分には、いくつかの項目が並べられておったが、ざっとまとめて次のようなものであった。

「……君は、学校の先生に不似合な大金持ちになり、一番立派な学長官舎を分取り、毎日豪奢な大宴会をつづけているが、われわれ教職員は、月給全部を食わずに貯めたところでそんな金持ちになれるはずがない。君は何か、よからぬ相場で儲けたというもっぱらの噂だ。君が相場で儲けようと、損しようと、それは問題外だが、けがらわしい相場師などをこの神聖な大学官舎に出入りさせるとは捨て置きがたい」

「……それに官舎の門標には横文字を麗々しくかかげて、外国人とばかり多く交際している。しかも濫《みだ》りにドイツのドクトルなどを振りまわして、キザな態度だ。われわれ同僚を蔑視するもはなはだしい」

「……それにまたまた、学士会その他の寄附金に、学者にあるまじき大金を寄附したり、大学以外の各省官庁に兼務嘱託を引き受け、おのれ一人が農大代表のような顔付きをしているとは、なんたることか。大学の面目と同僚の思惑を無視した、そんな勝手気ままの振る舞いをつづけさせるわけにいかない。そこでわれわれは、君の辞職勧告を決議してやって来たのだ」

等々、いやはや大変な剣幕。それにみな意外な理由の数々で、短兵急を極めた勧告であったから、しばらくは、こちらも呆然自失の体、――こういうときこそ落ち着きが肝腎と考え、下腹に力を入れてやっとわれを取り戻したのであった。

　勧告理由の当否は別として、ともかくこう真ッ向から旗鼓堂々とおしかけられては、正面衝突はあぶない。こちらの敗けに決まっている。気負い立った強敵はいなすに限る。――ここで私は孫呉《そんご》の兵法という奴を思い出した――とくに、これは対手が必勝を期して乗り込んできたのだから、まともにはその鋭鋒を防ぐべくもない。そこで対手側にひとまず勝たせておいて、勢いのゆるんだところで、こちらの新手を繰り出そうと考えた。すなわち、熟考の結果という形式ののち、

「まず両君お揃いで、私のためにわざわざおいでくださったことを感謝する。とくに御勧告の理由の大部分はいちいちごもっともである。私としても大いに胸にこたえるところがある。しかし中には二、三誤解の点もあり、弁解もいたしたい。しかしそれはあとまわしとして、ともかくお二人が多数同僚の総代として来られた以上、私ははなはだ遺憾ではあるが、よろしい、身から出た錆と思って断然御勧告に従いましょう。明日にでもさっそくその手続きをとる」

と返事をした。これは私の大学在勤三十七年中の最大受難で、しかも、最大教訓であった。

この辞職勧告の理由の大部分は、決して私としてやましいことではなかったが、ただそれを押し通す自分の態度に、若気の至りというか、血気に任すというか、ともかく、私に未熟不徳なものがあったことは事実で、いまにまことに恥しく思われる次第である。

上手な喧嘩の仕方

さすがに孫呉の兵法は偉大なる功を奏して、勝ち誇った二人は、たちまち、勝利者として私に憐憫《れんびん》の情を示し始めた。ことに横井君はもののよくわかった人だけに、

「君がおとなしく、われわれの忠告を聞き入れてくれた以上、僕らも君の誤解だというい分をハッキリ聞いておかねばならぬ。同志にもそれを報告する義務があるから……」

と出直してくれた。そこで私は、

「それは有難い。しかし、いまここで口先ばかりの言い訳をしても本当にしてくれないであろうし、それに隣りには大勢の助手連もいる。この話が彼らにもれると、どんな騒ぎを惹き起こすか知れない。ことにその弁解の証拠物件は自宅のほうにあるから、御迷惑ながら――幸い両君とも僕の官舎の前を通って帰宅されるのだから――ぜひちょっとうちのほうへお立ち寄り願いたい」

とムリヤリ一緒に帰ることにした。両君とも、これを頑強にうけがわなかったが、一

応通すことだけ通したのだから、強くなっていて、その実いささか弱くもなっていたのである。

さて、これで、私が家計簿と貯金帳の実物証拠で両君を参らせ、辞職勧告の件もサラリと水に流させたことは「財産告白」でも申上げた通りであるが、その他の附属諸件については、次のような諒解を求めた。

広大な学部長官舎に住んでいるのは、松井学長からとくに個人的に頼まれて留守を預かっていること。ときおり学校関係以外の者が訪ねてきたり、豪奢らしく見える酒宴を開くのは近衛篤麿公を会長とする「独逸麦酒会」の例会であること。——その常連は石川千代松、三好学、坪井次郎、和田垣謙三等のドイツ留学組で、ほかの大部分は御雇教師のドイツ人であった。自分は当時その常任幹事をつとめていた——官舎の本館にドクトル入りの横文字で標札を出していたのは、その来会者たちに便したものであり、またかねて学長から自分の不在中外人などが視察に来たとき、代りに応待の一切を頼むといわれたためで、正式な日本字の門札はチャンと脇玄関のほうに出してあること。早稲田の出講を始め、諸官庁嘱託のカケモチをしているのは、新しい学問で当時あまりまだ世間に認められていなかった農学、林学の宣伝拡張を意図したこと。しかもそれらの仕事は、無理に頼まれて引き受けたものの、それぞれ専門に研究した新学士が出揃い、自分の代りに入れ替ってくれるまでのつもりであること等々、陳弁これつとめるに一汗も二汗も拭き直したのであった。

なんでも話せばわかる

最後に両君も、「わかったわかった、全く降参、あやまるからよしてくれ」と頭を下げた。私も完全にこれで勝ち直したわけであった。

なおこれには、もう少しのオマケ話がある。

それというのは、勝敗処を換えて、戦が有利に展開してきたのに、私は悪戯気をおこして、

「では僕の弁解はこれで止める。しかし、最後に一つ、諸君も実証を尊ぶ学者である

からには、先刻お話しした独逸麦酒会が、窓の外からうかがいみたほど決して豪奢なものではなく、近衛邸で行われるときはいざ知らず、僕のうちで開くのはこんなにも質素なものであることを実験してもらいたい。実は麦酒会といっても、ドイツの家庭招宴に準じたもので、冷肉、冷菜で、ビールだけはふんだん賑やかに飲むだけである。とにかく、まあ学者的に実証してくれたまえ」

と、家内に命じていつもの用意をさせた。そうして三人で心ゆくまで「独逸麦酒会」の実験をやった。もともとこうしたことが嫌いでなかった横井博士などは、「ユカイ、ユカイ、今日のキミの弁解のうちで、これが一番の秀逸だ」と大喜びで、とうとう二人共へベレケになってしまった。「すまんすまん」の連発で、何度も米搗きバッタのように手をついた。

さらに私の悪戯気は徹底した。

「これも麦酒会の実証のつづきだ。ぜひ有終の美を成さしめてくれたまえ。これがいつも、みんなが帰るときのならわしだから……」

と、すぐ隣のような自宅へ帰る二人に、それぞれ二人引きの俥を呼んで、無理やり押し上げた。すると、俥屋は賃銭の手前、まっすぐに行くこともできず、ぐるぐる大回りして、最後に両君を景気よくうちへ送りこんだものである。

自己反省の好機会

その夜、私は改めて自らをいろいろと反省してみた。なるほど世の中というものは、自分一人の得手勝手な行き方ではいけない。どんな些細なことでも、一応周囲の思惑を考えてみる必要がある。間違いのない、正しいと思ったことでも、世間では往々とんでもなく誤解してみる場合が多い。誤解は誤解を生んで、ついには今回のような辞職勧告にまでなって現れてくることさえある。ああわれあやまてり矣、と悔いるものがあった。

さらに私は、今日、横井、長岡の両君が先に立って、何故にかくも猛烈な態度でおしかけてきたかについて、あれこれと考え直してみた。そうして、それぞれ胸にこたえるあることに思い当たった。まずその一つは、台湾調査に出掛けた際の、長岡君に対する私の不注意であった。

それは台湾領有間もなくのこと、農大から二人の富源調査委員が選ばれた。私と長岡君とである。長岡君は私より二年前の駒場卒業生で、いわば先輩の一人であったが、私が洋行帰りで月給も上になり、外部の信用もドクトルの肩書きが物をいっていささかましのほうであった。だから人々に立てられるまま、台湾行にも、長岡君を差しおいて自然に出しゃばりが多かった。現地踏査でも招待宴や報告会でも、心づかぬまま、一人舞台でいい気になり過ぎたかたちであった。それも時の勢いや回り合わせで仕方がなかったとはいうものの、いまにして思えば、自分としても、もう少し、なんとかやり方があったようだ。いずれにしても、それが長岡君の恨むところとなり、かてて加えて、私の傲慢な態度が何から何までしゃくの種になっていたものらしい。位置を代えてみれば、それも全く無理からぬことで、そう気付くと、自分の社交上における欠点短所がいまさらにつくづくと後悔され出してきたのであった。

一方横井博士も、私より十年近い先輩で、農大の首席教授、しかも能書と雄弁とをもって鳴り、当時農学界代表の第一人者ともみるべき人物であった。ところが若輩の私が洋行帰りのドクトルの新看板で活動を始め、とくに時の全国農業会会長前田正名《まえだまさな》氏(私がドイツ留学を願い出た当時の校長)と昵懇なところから常に農事大会などに出席させられたので、いつもよく横井博士と一緒にしゃべる機会が多かった。横井博士はすでに老練熟達の大家で、どこへ行ってもなんら準備することなしに立派な演説をやってのけた。そこで負けぬ気の私は、ようし、自分はとても、他のことでは容易に横井博士に追ッつけぬが、この演説で彼氏を一つへこませてみせようと心ひそかに決心したのだった。

それで同博士がただ簡単な統計や筋道だけを巻紙にかいて登壇するのを逆に、私は詳細完全な原稿をいちいちつくり、それを数回練習したうえ演壇に立つことにした。旅行先などでも決してこれを怠らず、しばしば夜の一—五時の間に、ひそかに宿を抜け出し、海岸や原ッぱに出て猛練習をつづけた。そうして、演壇ではいつも、意地わるく横井博士の前席に立ち、満場の大喝采をかっさらうことにつとめた。すぐあとに出る横井博士としてはどうにもやりにくく、ついにときには十分陳《の》べ切らないで降壇してしまうことさえあった。

とどのつまり、本多のエンゼツ使いのあとではどうもやりづらいから、おれが先にやるといい出した。私は大先輩を前座にして真打ちに立つなどとはとんでもないことだ、礼儀にも慣例にも背くと断じて受けなかった。引き続いて各種の講演会や調査会などでも同じ調子で押し通したので、博士もとうとうカブトを脱いだ形であった。私はいよいよこれを痛快に思って百戦百勝の自信を得、「どんなもんじゃい」と内心得意の鼻をうごめかしたのである。思えば、私としても心無しの限りだったわけで、私に対して同博士が不快を感じつづけたことも当然であった。

さて、この二つが一つにかたまり、ついに、今回の辞職勧告の急先鋒となって現れたのには、むしろ不思議はなく、いまさらに私は自分の至らなさに、思わず赤面させられた。これでは部内一同、多かれ少なかれ、だれしも私に反感をもつのは仕方がないと初めて気付かされた。――こうして、辞職勧告は私にとってまことに有難い、自己反省の機会を与えてくれることになったのである。

横井時敬博士とは、これを契機に無二の大親友となり、生涯渝《か》わることのなかったのは前にも述べたところである。

その後なお、演説、講演などについては、自分一人で何もかもしゃべってしまうという態度を慎み、かえって次の人がやりよいように――この点に関しては何々君が私よりよく調べておられ、かつその方面の専門家でもありますので、すべてはそのお話に譲ります――というように改めることにした。

よけいな謙遜はするな

ついでながら、初期における私の大学時代に、偽善から生まれた一つの煩悶《はんもん》があったことを告白する。

これは一般サラリーマンにもありがちな旧思想のあやまちで、私の体験社会学としても、きわめて重要な意義をもつもののように思われる。もっとも大学も退いてしまい、齢八十を超えた今日では、後悔どころか、むしろよくやったと一つの矜持にすら感じられるのであるが、奉職当初の八年間は、このことのためにつまらぬ煩悶をつづけたのだから、とくに一言を添えておきたい。

それは私が、自ら謙遜を衒《てら》って、低い位置に自ら求めて就職したことであった。

明治二十五年ドイツから帰朝するや、恩師志賀泰山先生その他先輩のすすめで、私は農科大学の助教授に就任した。高等官七等従七位というのである。当時普通の大学卒業生は、二—五年間判任官をつとめて、初めて高等官になるならわしだったが、私はドイツ留学のおかげで、農大卒業満二年にも足らず、一足飛びに、異数の抜擢を受けたわけである。しかもそれにはかえって一種の煩悶がつきまとった。

それは、この任官発表の前に、時の学長松井直吉氏からこんな内談があった。

「実は君を教授に推薦するつもりであるが、そうすると、君は、かつて教えを受けた白井光太郎、守屋物四郎両君（二人とも助教授）の上に立つことになる、それでも別に差し支えはないか」

私は平素の気持ちをそのままに、

「自分のごとき若輩が、教えを受けた両先生の上に立つのはいかにも心苦しいことです。ぜひ両先生の下にしていただきたい」

と深く考えることもなしに、即座に答えた。

松井学長もこれをきかれて、それでは君としても都合のいいようにと、地位も年俸も両氏と同等に決めてくれた。これで私も、なんだか非常に善事を行ったような気持ちで、しばらくは儒教的な自己満足に陶酔した。

ところが、その後大学予算縮減の結果、両先生の昇進がおくれて、それにつづく私も長い間おつきあいの地位におかれた。功名心に燃えた若い頃のこともあり、また少しの昇給が重大な影響をもつ薄給生活者のことでもあり、この遅々として一向に動かぬ進級行列がまどろかしくなってきた。一事の快が永年にわたる煩悶の基となったのである。民間諸会社などではこうしたことも絶対ではなかったであろうが、一般官公吏ごとに大学官制では窮屈を極めたもので、何もかも順序で動くという内規が厳守され、白井、守屋の両氏が昇進しない限り——それがまた遅いときている——自分も決して昇進しないという破目に陥ってしまった。

これは一時的な侠気《おとこぎ》を出して、自分がツマらぬ謙遜をした結果で、八年間の助教授中、絶えず、ああ馬鹿なことをしたものだと煩悶が心の中を去らなかったのである。これはいかにも本多の小人物を表現した悩みでお恥しい次第だったが、普通の俸給生活者感情としては無理からぬところで、同様の地位に立ったことのある人にはよくわかってもらえると思う。

仕事には遠慮は無用

一方、学生時代において、首席を争った同級三人組——川瀬善太郎、河合鉐太郎、それから本多——の一人だった川瀬君は、私より二年おくれてドイツに留学し（二年間）、帰朝後ただちに教授に就任してしまったので、爾後、私との間の地位に格段の相違を来し、万事同君の下風に立たなければならぬことになって、私の心ひそかな悔恨はいっそう強いものとなってきたのであった。

もっとも、川瀬君は私よりも四つ年長で、和歌山藩出身の秀才として知られ、山林学校入学以前すでに小学校長や郡視学をやり、卒業後も山林局の技手をしばらくつとめ、その上洋行で箔をつけて帰ってきたので、単なる学生上がりの若僧に過ぎぬ私とは比較にならぬ人材でもあった。しかし私は、学生時代に彼を追い越して首席になったこともあり、彼に先んじて留学をし、また彼のもっておらぬドクトルの学位をもっていたので、若い日の自尊心はどうしても川瀬君の下風に立つを潔しとしなかった。──いまから思えば笑止千万な話であるが、当時としては全く真剣な煩悶であった。

そこで私は、いまさらながら、「私の体験社会学」として力説したい。──それは、いかなる場合、いかなる職務でも、自分自身にその実力さえあれば、与えられた当然の地位は敢然と引き受けるべし、ということである。

つまらぬ儒教流の古いこだわりをすて、聖人君子を志さない限りは、仕事の上で決して無用な謙遜などしてはいけない。遠慮なく進んで、できるだけ自分で満足のいく位置を確保すべきである。もしそこに、尽くさなければならぬ師弟の礼や、友人間の情誼があったとすれば、それは十分他の途によって尽くされるであろうし、また尽くされねばならぬ。心にもない一時的な偽善行為で、決してその場だけを繕うことをしてはならない。

生じっかな「見てくれ」の美行は、かえってわれわれ凡人には、自他ともに不都合な結果をもたらすのである。大いに働き、大いに勤めるためには、仕事の上の遠慮は一切無用である。少年にして高科に登るは不幸かも知れぬが、登るべき高科に登らぬのもまた不幸であろう。まして、少年たらずして中年者たるにおいてをやだ。とにかく、偽善的なケンソンはつまらぬ。

その後私は、東京府の水源林監督となったときも、直後に知事代理の専行を約束し、また諸官庁の嘱託兼務を引き受ける際も、できるだけ高い地位と広範囲の権限とを要求した。さらに後年、長野県の山林顧問となった場合のごとき、とくに知事室の隣に立派な顧問室を設けさせて、万事高飛車に、ズバリズバリとやってのけた。実際またそのほうが大変いい成績を挙げ得たのである。これなどはみな、右に述べた大学初期の煩悶の反発であり、若い日の失敗の教訓による結果であった。

四、人を使うには・人に使われるには

江原《えばら》素六《そろく》先生を見習って

「使うには使われろ」という言葉が昔からある。これは、人を上手に使うには、自分自身まず使われる体験をもたねばならぬという意味と、また使う者は使われる者の身になってすべてを考えよという意味の二つが含まれているようである。さらに徹底した解釈では、人を使うのは、結局人に使われるのだというのである。したがって、人に使われること最もよろしきを得たものが、また人を使うに最もよろしきを得るわけになろうか。

いろいろ話をすすめていく前に、私はまず、一つの古い思い出話をしておこう。

それはもう三、四十年も前のことになる。有名な麻布中学の校長をしていた江原素

六翁が、寄宿舎の窓から生徒が投げ散らす紙屑を、いつも早朝、自らニコニコしながら拾い歩いていたが、とうとう一人早起きの生徒がそれをみつけて、寄宿生一同に話したところ、みんなが感動して、それから一切紙屑を窓下へ捨てぬようになったということだった。それを聞いて私は、その頃自分が監督していた寄宿舎が、御多分に洩れず、掃除の不行届きで不潔をきわめていたので、さっそくその真似事の実行を思い立った。そうして、シャツ一枚といういでたちになって、自ら便所や下駄箱の掃除をして回った。ところが、私の姿を見付けたときこそ、舎生一同も、「やァ、来た来た」といいながら、みんな申し合わせたように掃除の手伝いをしてくれたが、その効果もそのときだけで、一向に長続きをせず、舎内は相変わらず不潔と乱雑を改めなかった。そこで、私はいまさらに自分と江原先生との相異を発見して、深く自ら恥じざるを得なかったのである。

　すなわち、江原翁は生徒を真にわが子のように愛し、その遊び跡のちらかりを片付けるくらいの気持ちで、全く慈愛の心から紙屑を拾って歩かれたのであるが、私は形こそ同じであっても、その実はムカッ腹を立てつつ、「どうだこれを見ないかッ」といった気持ちが動いていたため、ついに江原先生にはどうしても及びつかなかったのである。

この人を教え導くことの難しさが、取りも直さず、人を使うことの難しさである。そうして、その根本をなすところのものは、常に教える人、使う人の誠心誠意の問題であると思われる。

この寄宿舎の監督では、こんな笑い話もある。大学勤務やその他の関係でだんだん忙しくなったので、あるとき、私はこの仕事を止めようとしたら、妻がまっさきに反対した。

「とんでもない、他《ほか》のほうを止めてもこれだけはつづけてください。貴方は若い人々を監督してるつもりだったかも知れぬが、私は若い人々に貴方を監督してもらっているつもりなんですから……」

事実それにちがいない点も、あるにはあって、さすがの私もこれには一本参らされた。
人を使うものは人に使われる、人を監督するものは人に監督される。これはどうやら、間違いのないことのようである。

誠意とテクニック

対人問題のすべては、まずお互いの誠心誠意が基調にならなければならぬのはいうまでもない。しかし、そこには常に多少のテクニックも必要である。とくに上手に人を使うには、その辺のコツがいろいろと大切なものである。以下、かつて私が、「師長としての心得」として気付き、かつ多少とも自ら実行につとめてきたところを、二、三述べてみよう。

まず人の長となって、第一に注意しなければならぬことは、自分の知識や経験を事ごとに振り回さないことである。長官とか、社長とか、また何々の局長、部長などになった人が、自らの知識や経験をあまりに振り回し過ぎると、部下のものは「大将がああいうから、そうしておこうじゃないか」と、何もかもそれのみに頼ることになり自然と立案工夫の努力を欠くに至るばかりでなく、すべての責任までオヤジに転嫁する気持ちにさせ、はなはだしく、その局部内を、イージーゴーイングな、活気のない、だれ切ったものにしてしまうおそれがある。

上長が部下に対し、責任はわしが負う。しかし仕事は君らに一任する。なんでも思う存分やってみたまえ、というふうに出ると、かえって彼ら自身に責任を感じ、自発的にいろいろ創意をこらすばかりでなく、大事な処は大事を取って、いちいち相談を持ちかけてくる。したがって何事にも大過はない。しかもみんなは、それを「自分の仕事」としていっそう打ち込んでかかるのだから、かえって、その官庁なり会社なりの仕事は、活気に満ち、能率も大いに上がってくるものである。

人をよく使うには、その人の性格（長所と欠点）をよく呑み込まねばならない。大勢の部下があると、なかなかその姓名さえ充分に覚えにくいものであるが、正しく、早く、その名前を覚えると同様に、その人物についても巨細に知悉《ちしつ》するところがなければならない。

人間はだれでも、もって生まれた特長が何かある。それゆえ、上長たるものは、部下についてその特長を発見するにつとめ、機会あるごとにまずその長所を褒め、しかるのち、ホンの添え物程度に、もし欠点があれば、その欠点を指摘し、矯正するように注意してやることである。上役が自分の長所を認めていてくれると知れば、だれしもわるい気持ちのしないのが人情である。その部下はどんなにも、日常の仕事に張り合いを感ずるか知れない。そうして、それとなく注意せられた欠点の矯正にも、素直な受け入れ方をして、本気に努力するものである。

人物の正しい評価

必要なときに、必要な「知らぬ顔」ができれば、もう人使いも一人前といえる。ところが、これがわれわれ凡人にはなかなか難しい。つい何事も顔色に出てしまう。言葉に出てしまう。いわなくてもものことをいって、いわゆる駟《し》も舌に及ばずで、取り返しがつかなくなる。世の中には、即時即決を要する問題も多いが、また往々にして、この「知らぬ顔」が一番いい解決法になる問題も少なくない。人を使う立場にある人はこのことを知らなくてはならない。

しかし、それとは反対に、知らぬ顔をしていながら、何から何まで万事御承知で、「おやッ、オヤジはこんなことまで知ってるぞ、こいつは油断がならぬ」と、ときおり、部下のものの胆《きも》を冷やさせる手も肝要だ。またこれがあってこそ、「知らぬ顔」の半兵衛も生きてくるというわけである。

だからして、人の長たらんとするには、多くの部下の考えが常にどう動いているか、個々の仕事振りが果たしてどんなものであるか、怠らず心を配り、何時も正しい評価の上に立って、すべてを取り仕切らねばならない。

早い話が、ちょっとした人事の更迭をやる。それが、右の正しい人物評価に基づいた適材適所の配置法であれば、「ははん、オヤジさん、あれで何もかも御存知だな」と、部下はみな不平不満なくついてくるのである。日頃の「知らぬ顔」が一段と威力を加えるわけだ。

由来私は、努力主義の人生観を押し通してきた建て前から、部下の仕事振りなどを見て、表面的にはなばなしい能率を上げることよりも、むしろ、営々として、縁の下の力持ちをつづける人を多とし、できるだけその労に酬いるにつとめてきたが、いずれの社会でもそうした人々の働きが見落とされがちなので、上に立つ者は、怠らず常に、何事にも裏の裏まで見透かしていることが大切である。

もっとも、裏の裏まで見透かすといっても、四六時中自分の椅子に頑張って、鵜の目鷹の目の眼《まなこ》を光らす必要はない。世間にはよく、一日でも、一時間でも、自分が不在になると、何か間違いが起こりそうだ、だれる、なまける、少しも目が離されないと考えている人もあるが、そんな上役振りではダメだ。その人がそこにいても、いなくても、その職場の緊張振りに変わりはないように統率することが第一で、それにはなんとしても、人の長所をよく見、よく活かし、自らが部下の信頼をかち得るとともに、また部下のそれぞれをそれぞれの地位に信頼し切って、一切を任せることでなければならぬ。「長所と交われば悪友なし」で、その長所のみを採り上げ、その長所のみを利用すれば、どこにも間に合わぬ部下というものは一人もいない。

仕事の上手な頼み方

人を使うのには、人の名前を、早く、正しく覚え込むことといったが、これはなんでもないことのようで、きわめて大切なことである。

何か部下のものに仕事を頼むとき、いかにその態度が礼を尽くしていようとも、その名前を間違えて呼ぶようなことがあっては、それこそ、百日の説法屁一つで、「なんだい馬鹿にしてやがる」ということになってしまう。態度がいんぎんを極めれば極めるほど変なことになろう。だから、新しく入ったようなもので、不確かな記憶しかなかったら、そっと次席のものにきいてみるとか、職員名簿をひっくりかえしてみるくらいの用意が必要となってくるのである。また給仕や小使までいちいちその名を覚えていて、「オイ何々君」と親しく呼びかければ、呼びかけられたものの気持ちは満更でないわけで、取り寄せるように頼んでおいた弁当も、せっかくあたたかいところで運ばれてくるというものである。

そこで私は、部下の人々に仕事を頼む場合、それがどんな些細なことでも、いちいち、正しい名前をハッキリ呼んで、いつもねんごろにいいつけるようにしてきた。またその仕事の内容についてもよく吟味をして、頼まれたものに、なんだいこんなことといわれないようにつとめてきた。

たとえていえば、こんな心遣いである。

若い人々に何かを頼む場合、無理にならない程度に、必ずその人の地位や力量に比して、少し上のものを選ぶようにし、「これはちょっと重要なことだナ、しかしおれにだって大丈夫できるぞ」といった気持ちになれるものを、適材適事に与えるようにした。そうして、丁寧にその内容を説明し、やり方を指示したうえ、本人の腹案を聴き、適度の追及を行って、「ではよろしく」と、懇切に頼むことにしてきたのである。

ところで、こうして命ぜられた仕事はだれしもいささか誇りをもち、かつ責任を感じ、必ずこれを完成しようとベストを尽くす。しかも、その結果は概して良好であるのを例とする。そうして私は、こうしてでき上がった仕事に対して、あくまでも親切に再検討を加え、創意の程度によっては、いつも部下の名前でこれを発表し、学業または事業上の名誉をその人に得させるように心掛けてきたのである。

人の意見をよく聴くこと

次に、部下や社員の持ち込んでくる意見とか提案とかは、経験と研究を積んだ上長者には、常に概してつまらぬと感じられるものが多い。しかし、それを天からつまらぬとこき下ろしたり、フフンといった態度で軽くあしらってしまってはならない。上長者にはつまらなくとも、愚案と思えても、本人にとっては全く一所懸命の場合が多く、あまりにあっさり片付けられてしまっては、部下たるもの大いに落胆せざるを得ない。ときとして、再度の提案具申の勇気をすら欠くに至るものである。この場合、どんなに忙しくとも、またどんなに馬鹿馬鹿しくとも、いちいち親身になって聴いてやるだけの用意と忍耐がなんとしても必要である。それが上長者のエチケットでもあり、義務でもあるというものだ。

すなわち、部下の者が、何か用あり気にドアを押して来たり、自席に近づいてきたときなどには、できればただちに自分の仕事を中断し、二―三歩の前からその顔を見、その足元を見守って、ニコやかにその用件を聴き取る態勢をととのえて、「さァなんなりと」といった気持ちを目顔《めがお》で知らせるくらいにしなければならぬ。そうしてゆっくりその述べようとするところを尽くさせ、充分そのいおうとするところをいわせるがよろしい。こんな場合、ほかから何かの用事が持ち込まれても、それをあと回しにして、「さア、次をつづけたまえ」とでも促せば、提案者の満悦はこのうえないものになる。

要するに、上長者たるものは、絶えず業務上や研究上の意見を部下に求めることにし、採用しても、しなくても、どちらだって大差ないといった程度のものすら、できるだけ採用の形で取り入れることにしたい。これは本人にとっての大きな奨励ともなり、また将来本当に意義ある改善工夫の出現を待つ呼び水ともなるのである。いずれにしても人を使うには、人の意見を虚心坦懐《きょしんたんかい》に聴き取るだけの雅量を、常に持ち合わせていなければならない。またそれを能《あた》う限り実行に移すだけの積極味を、必ず持ち合わせていなければならない。

上長に大切な威厳と親しみ

人を使うにも、人に使われるにも、常にその周囲の人々と同和することが最も大切である。私などはこの同和が最も不得手で、少年時代から僻《ひが》み根性が強く、人を疑い、人を嫉《ねた》み、人の落ち目を喜ぶような悪癖があって、我ながらあいその尽きるものがあった。ところが、十六のときに淘宮術《とうきゅうじゅつ》の大家新家春三先生の門に入り、根底からその気質の矯正につとめたため、後年どうやら人にも使われ、人をも使うことができるところまできた。

傲慢不遜と狭量とは、全く、使うにも使われるにも、処置なしである。それに反し、礼譲と温容とは、使うにも使われるにも敵なしである。ただここにちょっと注意しなければならぬのは、礼儀作法を重ずるといっても、変にお高くとまることは大《だい》の禁物である。同僚と同和どころか、いつも一人だけのけものにされてしまう。だから、礼儀正しいといっても、それはどこまでも民主的、民衆的でなければならぬ。上長者といえども、常に仕事にも、仕事外にも、部下と共にあることを忘れてはならない。

ところで、部下の心を自分につなぐには、何かの頼まれ事や約束を、忘れずに必ず実行することなど最も有力な手だ。私はこのために手帳を用意していちいちこくめいにメモをとっておいたのだが、頼んでいたほうで忘れているような些細なことでも、このメモのおかげでこちらは忘れずに必ず実現したので、「うちのオヤジはこんなことまで覚えていてくれるか」と、馬鹿に評判をよくしたものである。これが、再三念を押されて、最後に「やあ忘れていた」ということになっては、仕事の上の権威も、信頼も、とんだ処でマイナスにされてしまうところだった。

さらに師長たるものは、いつも決して無表情無愛想であってはならない。部下は常に、「上役の機嫌」といったことに心を配っているものだから——卑屈な意味でなしに——部下に対しては、なるべく柔らかく、笑いを忘れず、ときにはユーモアたっぷりの口説《くぜつ》で雑談の仲間入りなどもすべきである。いい話題がなかったら、「どうだね、子供さんはみな元気かね」くらいに、くだけて出ることが大切である。「威厳」と「親しみ」——この二つの等分配合がなかなか難しい。上長者に人知れぬ苦心の存するのはここだ。孔子のいわゆる威あって猛からず、恭にして安しというのもすなわちここだ。

難しい人の叱り方

さらにまた、人の上に立って最も苦心を要するのは、人の叱り方、諭し方である。人間はだんだん古参になったり、年老いてくると、自然人に対する小言が多くなる。また小言をいわねばならぬ立場にもなってくる。そこで、この二つがごっちゃになって、しかも自分のわがままもまざってくることになるから、よくよく気をつけなければならない。いいかえれば、部下に対して小言がいいたくなり、叱りたくなった場合は、まずそれを自分の上に当てはめてみて、自ら第一に反省するくらいに慎重を期さなければならぬのである。

由来、賞讃は春の雨のごとく、叱責は秋の霜のごとしである。褒めることは人を蘇《い》き返らせ、のびのびとさせるが、小言はどうも人を傷つけ、萎縮させることが多い。だから、小言を人にいう場合も、称揚することを八分、注意することを二分、といった程度に心を用いるとかえって効果があるようである。子供のしつけ方についても、「二つ褒めて一つ叱れ」といった言葉もある。

したがって、私もその伝でいって、いつも人を叱らねばならぬ場合は、まずその人の長所を挙げて、それを補うべき一事宛をよく注意することにしてきた。たとえば、君はこれこれの点は実にエライが、ただ一つこういうことになるとちょっとマヅイ、だから、これこれのことを改めさえすれば実に錦上花を添えるわけになる、どうか気をつけてくれたまえ、といったように。

とにかく、一度にあれもこれもと、多くの欠点を挙げて叱責すると、対手が心から恐れ入るようで、その実はかえって反抗心を起こさせてしまう。ちょいちょいなんでもないことで小言をいうのもよくないが、見るに見兼ねての、「溜めおき」叱りも禁物である。上手に人が叱れれば、それはもう上手に人が使える人で、上長としては満点にも近い。

ことに難しい中にも難しいことは、すでに一家を成して、相当の自信をもっている人々への叱責である。だれしもしっかりやっているつもりの自分の仕事に、上長または同僚からとやかくいわれるくらい、ピリッとくるものはない。自信をもてばもつほど不快の感は大きい。したがって、この不快を起こさせず、いかにして有難い忠告と思わせるように注意するか。それがなかなかに難しい。

そんな場合には、その事柄にのみついて一言し、態度がどうの、心情がどうのと、その他のことについて決して批判がましいことをいわぬようにしてきた。いいたいことの全部を尽くしてはかえって逆効果になる。そうして一度注意したことには、わざとしばらく触れないようにし、自分自身で充分反省できる機会を与えることにしてきた。

それにもう一つ、些細なことでも、自分の気に入らぬとすぐ小言になるのが、老人、上長のわるい癖であるが、私は叱りたいことも、済んだこと、過ぎ去ったことは叱らず、何か報告を受けた際など「それはよかった、しかし、これこれのこともあるから、次からはこうしたらどうかな」という工合に、人の気持ちをわるくしないで、将来を注意しておくことにしている。さらに、いかに注意や叱責をしても直らぬ場合がある。それはこちらの考えが間違っていることもあろうし、人の気持ちはその顔の異なるごとく異なることもあろうから、三度これを試みて聴かれない場合は、あえてそれ以上の追及はしないことにしてきた。そうして、自分は自分、人は人、それぞれの途を選ぶことにしてきたのである。

上手な自説の述べ方

人を使い、人に使われる——つまり協同杜会における自説の発表、または自案の貫徹には、これまた相当の苦心とテクニックを要するものである。私は元来話好きで、なんでも知っていることはみんなおしゃべりしてしまい、聞かれもしないことまでこちらから進んで講釈する癖がある。これは長い間学校の先生をやってきたためかも知れぬが、職務上重要な意見は、人の請《こ》いに先立って切り出すのはどうもマヅイようである。

いったい多人数集まった席での発言は、その聴き手の要求に応じてこれを行うほうが、そうでない場合よりもはるかに効果的であって、差し出がましく真ッ先に自説を持ち出すと、しっかりした内容のものでも軽んじられやすい。かえって人を不愉快にすらするものである。

だから、重要な会議であればあるほど、まず充分に人の意見を聞いて、しかるのちおもむろに自説を持ち出すのがリコウのようである。それもなるだけ人の意見に賛成し、それを補足する意味において一言する形でやる。この場合だれがどういう説を主張しようとかかわったことではなく、要するに目的は、持っていきたい結論に持っていかれさえすればいいのだから、努めて他説を立てつつ、自説を説明する。それは結論に対する共同責任をみなに負わしめると共に、かつ多数者の感情を損《そこな》わぬ上に大変な利益がある。またその席上議論が生じた際にも、常に雅量をもって対手を立てるようにすれば、その人からかえって真実の意見を聴く——つまり本音を吐かせることもできるのである。

さらに過ちを改むるにはばかることなかれで、その討論で自説の誤っているのに気付いたら、その場でむしろ気前よく降参して、自説の改新を行ってゆくことだ。変にネバネバしていつまでも自説を固執しているよりも、どんなにか男を上げることになるか知れない。そのほうがかえって、次の機会でも、その意見に会同者が耳をかたむける結果となろう。

他説に花をもたせるように

なお一般の会議などで、自分の考えているように何から何まで運ぶと、あとの実行に、何かしら一人で責任を負わされるような形になって、ちょっと都合のわるいことも出てくるものである。そんな場合を避けるためには、どうしてもこれでなければならぬという大事な骨子だけは守って、どうでもいいあとの七八分は、できるだけほかの人の意見に花をもたせるのがいい。これはひきょうに似ているようであるが、スムースな会議の進行と、慎重を期する実行上の用意にきわめて大切なことである。

次に会議会同によらず、個々に意見を具申する場合、多く文書提出の方法によるのが普通であるが、これにはくだくだしい理論的叙述を避けて、簡明直截《ちょくせつ》な個条書きにするのが一番いい。もし詳細を尽くした説明書をこしらえたら、それは、まず本文を読んでのち、改めて目を通すことができるように、始めから別文にしておくがよろしい。無理に本文中に入れると、全体がかえって軽ッぽくなってしまう――第一お仕舞いまでみなかなか読んでくれなかろう。

さて最近の私は、ほとんど全く、会議といったものに顔を出さなくなったが、それでも、いろいろ重要問題について意見を求められることがある。この場合、私はなるべく即答を避けて、さらに一応検討の機会を与えてもらう。これは老来慎重の上にも慎重となり、相互に能う限り過誤なからんことを期した結果であるが、ことに人を使い、人に使われる人々は、自説を述べるにも、他説を聴くにも、常に慎重を旨とすべきであると考える。

五、平凡人の成功法

勉強の先回り

かつて私は、総理大臣だった桂太郎大将からこんな話を聞いたことがある。いまに至るも、生きた人間処世訓として、その感銘はなかなかに深いものがある。大将曰く、「自分は陸軍に身を投じて、常に次から次へと勉強の先回りをやってきた。大尉に任ぜられたときは、少佐に昇進する年限を三年と考え、その初めの半分の一年半に、大尉としての仕事を充分に勉強しつくした。そうしてのちの一年半に、少佐に昇進したときに必要な事柄について一所懸命勉強した。だから、予定の年限がきて少佐になると、大尉時代に早くも準備を積んでおいたために少佐の任務は安々と勤まって、他の者にくらべて綽々《しゃくしゃく》たる余裕を残した。そこでただちに次の中佐時代に必要な勉強を始めたのであるが、中佐になれば大佐の、大佐になれば少将のと、次々に一段階ずつ上のことがスッカリ身についたのだから、勤務もすこぶる楽であったし、成績も意外に上がった。したがって、だれよりも最右翼で昇進することができたのである」

当時すでに働き盛りであった私も、いまさら青年のように啓発されるところがあり、ウウムなるほどと思わず横手《よこで》を打った。かの俊才にして、またこの努力である。彼が一介の武弁桂太郎に終らざりしも故ある哉、と感嘆したものである。

私の体験によれば前にもしばしば述べたように、人生の最大幸福は職業の道楽化にある。富も、名誉も、美衣美食も、職業道楽の愉快さには比すべくもない。道楽化をいい換えて、芸術化、趣味化、娯楽化、遊戯化、スポーツ化、もしくは享楽化等々、それはなんと呼んでもよろしい。すべての人が、おのおのその職業、その仕事に、全身全力を打ち込んでかかり、日々のつとめが面白くてたまらぬというところまでくれば、それが立派な職業の道楽化である。いわゆる三昧境である。そうしてこの職業の道楽化は、職業の道楽化それ自体において充分酬われるばかりでなく、多くの場合、その仕事の粕として、金も、名誉も、地位も、生活も、知らず識らずのうちにめぐまれてくる結果となるのだから有難い。桂大将のやり方もまたこの「職業道楽化」の最も典型的な一つであったようだ。

仕事の面白味

職業を道楽化する方法はただ一つ、勉強に存する。努力また努力のほかはない。あらゆる職業はあらゆる芸術と等しく、初めの間こそ多少苦しみを経なければならぬが、何人も自己の職業、自己の志向を、天職と確信して、迷わず、疑わず、一意専心努力するにおいては、早晩必ずその仕事に面白味が生まれてくるものである。一度その仕事に面白味を生ずることになれば、もはやその仕事は苦痛でなく、負担ではない。歓喜であり、力行《りっこう》であり、立派な職業の道楽化に変わってくる。

実際、商人でも、会社員でも、百姓でも、労務者でも、学者でも、学生でも、少しその仕事に打ち込んで勉強しつづけさえすれば、必ずそこに趣味を生じ、熱意を生み、職業の道楽化を実現することができる。それは私の今日まで体験してきたところでも全く明らかである。

私は埼玉の百姓生まれで、米を搗《つ》きながら独学して、東大農学部の前々身である山林学校に入学したのであるが、その米搗きも初めのうちは苦しく、いやでいやで仕様がなかった。ちょっと踏み台を踏んだばかりで、もうどれくらい搗けたかなと、下へ降りて米を吹き吹きしていたので、せっかくの摩擦熱が冷めますます手間取ってしまった。そこでだんだん考えた末、かたわらの戸の桟の上にゆるく糸を張り、その間に本を拡げて読むことにした。仕事は足を踏むだけの単調なものであるから、もう少し少しと本につられているうち、米のほうは搗き過ぎるくらい白く搗いてしまうようになった。ついに「米搗きは静六に限る」ということになって、米搗きが私の専門になり、おかげで勉強のほうもぐんぐん進んだ。

米搗きのような、機械的なツマラヌ仕事でも、少し工夫をすれば面白くつづけることができる。これが、私の最初に発見した職業道楽化、もしくは遊戯化の実例であった。もっとも仕舞いには、いささか、頭の働きと足の働きが主客てんとうの形になってしまうこともあるにはあったが。――桂大将は明治兵制の創設に当たって、最初から大尉に任官したのだったから、その必要もなかったであろうが、軍人としても、やはり兵、下士官のコメツキ仕事から、次への段階のために工夫をこらし、最善を尽くしてゆけば、その到達し得る最高まで必ず到達し得たにちがいない。まして軍人などよりさらに自由性があり、階級性の乏しい他業に従う人々には、この職業の道楽化がより可能であり、そのもたらすものがより大であることはいうまでもあるまい。

天才恐るるに足らず

なんでもよろしい、仕事を一所懸命にやる。なんでもよろしい、職業を道楽化するまでに打ち込む、これが平凡人の自己を大成する唯一の途である。世の中には天才だけにしかできぬという仕事はあまりない。少なくとも、職業と名のつく職業であれば、すべては平凡人の努力によって、完全にこれを道楽化する処までいけるものだ。今日の学問からいうと、本当の天才は、天才的な遺伝要素が必要で、われわれ凡人は本当の天才にはなれない。だが、いかに不得手なことでも、一所懸命やれば上手になれ、好きにもなれ、天才にはなれなくとも、まず天才に近いものにまではなれる。私もいろいろな体験からこうと気付いたのであるが、後にゲーテの『天才論』をみたら、やはり「天才とは努力なり」と、同じような結論が出ていて、はなはだしくわが意を得た次第だった。

そこでわれわれは、かりに一歩を天才には譲るとしても、努力による「亜天才」をば志さなければならない。何も初めから遠慮して天才に負けてしまう必要はない。「天才マイナス努力」には、「凡才プラス努力」のほうが必ず勝てる。私は八十年来これでずっと押し通してきて、何事にもそれほど見苦しいひけを取ってきたとも思わない。

さてここに、凡人者の天才者に対する必勝――とまではいかなくとも、少なくとも不敗の――職業戦術がある。

それは「仕事に追われないで、仕事を追う」ことである。つまり天才が一時間かかってやるところを、二時間やって追いつき、三時間やって追い越すことである。今日の仕事を今日片付けるのはもちろん、明日《あす》の仕事を今日に、明後日《あさって》の仕事を明日に、さらにすすんでは今日にも引きつけることである。

冒頭に述べた桂大将のやり方がすなわちこれである。いうまでもなく桂大将は陸軍切っての偉材であったであろうが、桂さんでなくとも、桂さんだけの勉強をつづければ、桂さんに近いものに必ずなれたに相異はない。それをわれわれ凡人はめざそうというのである。

普通一般のサラリーマン訓――威張っていた旧軍人といえども、たしかにサラリーマンの一種――としても、自分に与えられた仕事を速やかに、完全にやることは必要だ。まして凡人が天才と競争するには、この努力が絶対で、さらに彼らが眠っている間も、なまけている間も、こちらは怠らず次の仕事に準備し、次の仕事を用意しなければならぬのである。

冗談をいってはいけない、われわれは仕事を追うどころか、せいぜい仕事につかまっていくのが精一パイである、という人があるかも知れない。しかし概して今日の職業、職場の多くは——有難いことには、労働基準法とかいうものがあって——そんなにも過労を強いるものではない。普通人が普通につとめて必ずついていけるものである。だから、普通人が普通人よりちょっと努力し、ちょっと手際よく工夫するだけでも、次から次へと勉強の先回りをする余裕はいくらでもできてくるものと私は考える。

上位は常に空席である

桂式勉強法は、ひとり軍人においてのみ可能だったわけではない。学者としても、教師としても、一般公務員、銀行会社員としても等しく可能性をもつ修業法である。問題はただ、その心掛けをもちつづけるかどうか、その努力を怠らぬかどうかだけである。草履取りから天下取りになった木下藤吉郎流の出世術もまたこの方式の実践であるが、今日は藤吉郎時代の飛躍がのぞめない代りに、彼の時代には見られなかった組織と制度のハシゴ段が、どの方面にも平凡人の歩速に合わせてちゃんとつけられている。だから大天才秀吉のように太閤様にはなれなくとも、桂式の勉強法で、大は大なり、小は小なりに、それぞれどこかの御山の大将ぐらいにはなれる仕組みになっている。少なくとも民主主義、自由主義の世の中はその方向に動いているはずだ。平凡人といえども、何も早まってその出世をあきらめてしまうには当たらない。よろしくその志を大にすべきである。返すがえすも仕事の上での遠慮は全くいらない。

西洋の人生訓にも、「汝の上位は常に空席である」というのがある。本当に勉強し、本当に実力を養うもののためには、その進むべき門戸はいつも開かれている。努力の前に閉《とざ》された扉は一つもない。表門がしまっていても裏門があり、裏門がしまっていても塀を乗り越えるという手もある。

試みに諸君自らの周囲をよくよく見直してみたまえ。一応はどの地位どの椅子も、外見だけはアキなく塞《ふさ》がれてはいるようであるが、勉強と実力次第で、何人もそれに取って代れぬものは一つもないのではあるまいか。どれも、これもが、空《から》椅子同様とみればみられるではないか。

それをめざして——あえて実際に取って代らなくとも——いつでもその地位なり椅子なりに坐れるだけの、勉強をつづけ、実力を養成しておくことは、後進者の義務であり、権利であり、また職業道楽化の卑近な一目標ともいえるではないか。事実それらの椅子は、いずれも地位相当の新しい勉強家や実力者を迎え入れたくてガツガツしているのが、世間一般の現状なのである。

こういったところで、私はいたずらに、時代に逆行した利己主義や、我利我利の鼻持ちならぬ立身出世主義を鼓吹しようというわけではない。われわれ凡人といえども、われわれ相応のアンビションを抱いて、常にその仕事に張り切ることの必要をただ説きたいのだ。自らすき好んで卑屈に陥らないで、萎縮しないで、いつも「オレだって」というだけの気概をもって努力をつづけていきたいというのだ。人がこの世に生存して、それぞれ一個の持ち場を守るからには、つとめるべきをつとめ、尽くすべきを尽くして、その力と環境のゆるす限り、自己の拡充発展に精進すべきであることをいいたいのだ。これがすなわち社会進化の基調ともなり、人間進歩の実現ともなるのである。

自惚れもまた不可ならず

人にはだれにも自惚《うぬぼ》れがある。

おれにはそんなものはないぞということすらが、すでに一種の自惚れであるほどだ。多かれ少なかれ、またこの自惚れがあるために、人は職業人として立ってもいけるし、何かしら仕事もやっていけるし、一人前の世渡りもできていけるわけである。いわゆるウソから出たマコトで、事実また、この自惚れから思わぬ成功が生まれてくることも多いのである。

なかんずく、学者、芸術家といった人々にはことに自惚れが強い。これは、こうした職業者の一種の通有性ともいうべきもので、自惚れが自信となり、自信が精進となることによって、かえって偉大なる業績を残す場合が少なくない。しかし、実際には自惚れで成功するものよりも、自惚れで失敗するもののほうがはるかに多く、ことにわれわれ平凡人がちょっと何かでウマくいった際、無意識の中にきざす自惚れには、その危険率が多い。

そこで私の体験社会学によれば、自惚れはだれにもあり、まただれにでもそれ相応もたれなければならぬとなると、自惚れの「大出し」はいつも禁物。人に目立たぬよう、人に笑われぬよう、人にそしられぬよう、ジワジワと「小出し」にするに限るようである。要するに自惚れの発展対象は、卑近なところ、着実なもののみにして、小となく、大となく、高きも、低きも、その目的を達成するまでは、自惚れを心ひそかに持続して専心努力すべきであると考える。コツコツ努力をつづける間に、自然に自己の力と性格がわかってきて、自惚れが本当の自信になり、実力となって、一段一段と高い目的にすすみ、知らず識らずのうちに本当の手腕、力量、人格といったものが構成せられてくる。しかもそれらの上に再出発して、自分も成功し、世の中にも大いに貢献することができるのである。

自惚れといっても、世俗的な解釈をもって、一途に馬鹿にしてしまってはいけない。

自惚れがなくなってしまっては、人間ももうお仕舞いである。自惚れの拍車は各人を自ら想像したよりも幾倍に大きくし、大きくなった自己は、さらに偉大なる未知の発展力を生むものである。このことは、世上幾多の事例がわれわれにハッキリ教えている。

自惚れは決して天才者のみの専有物ではない。平凡人も平凡人としてのこの自惚れをぜひもたなければならない。ただここに注意しなければならぬことは、あくまでも「柄相応」ということで、それには正しい自己反省を常に忘れてはならないのだ。

代議士を志して

私も一度、若い頃のことだが、柄にもなく代議士に打って出ようと考えたことがある。いまでこそ柄にもなくと回想するのだが、当時は柄にもあると本気で自惚れたのである。

それは三十五歳のときだ。親友戸《こ》水《みず》寛人《ひろんど》博士等の学者が衆議院選挙に立ったとき、私にもすすめる人があって、野心的な自分の意は大いに動いた。そこで恩師に当たる中村《なかむら》彌六《やろく》先生のところへさっそく相談に行った。すると先生は、

「これからそのほうへ、君が本気になって乗り出すつもりなら、それもわるくはあるまい。しかし、それには一つの条件がある。月々五百円宛、年六千円だよ、これだけの小遣い銭をすてる余裕があるなら出るもよいが、それが出せなければ、出せるまで待つことだ。わしの注意というはただこれだけさ」

と、きわめてあっけない話であった。

　私は少々馬鹿にされた感じで、ムキになって突ッ込むと、背水将軍（中村先生の渾名）少しも騒がず、ズバズバ遠慮なくおいでなすったものである。

「一介の陣笠になるのに、主義政見などは何もあえて問うところでない。問題は要するに金だよ。まァ月五百円の小遣いがあれば足りるかな。その金さえあって、いろいろな連中と会食などする際、その度いつもみなの分までそっと払って知らぬ顔ができりァ、数年ののちには幹部にもなれるし、運がよければいつかは大臣になれるかも知

れないよ。――しかし、なれたところで、自分の意見なんてそうそう通るものではない。君がせっせと貯めた財産をみんな吐き出し、くだらぬ虚名と引きかえに、元の素寒貧に逆戻りするぐらいが落ちだね。どうだ、いまの君にそれだけの覚悟がもてるかね」

当時の月五百円は、いまの月十万円にも当たろうか。もちろん、そんな金はなし、将来そんな金ができたとしても、そんな無意味な使いようはできんと考え、気負い立った私も、意気地なくポッキリ出鼻をくじかれてしまった。いうまでもなく、政治が金になるとか、また金にしようとはみじんも考えなかったが、天下国家のためにする政治が、逆にそんなにも無意味な大金を食う代物とは知らなくて、自分の甘さ加減がつくづく思い知らされたのである。

学者の世間知らずというが、全くお恥しい次第だった。

政治と自惚れの脱線

今日の政治はちょっとちがうかも知れない。もっともっと進歩しておるはずだ。しかし、またまだ政治と金とは縁切りになっておらない。いわゆる政治家にはなかなか金が必要であるようである。政治家として世俗的な成功を収めている連中は、みな主義主張や才幹よりも金の力とみられている人々が多い。だから、政治家になるには、生まれつきその方面のある才能を具《そな》えた上、しかるべき学歴、経歴があり、しかも自分をバックする何かの力さえあれば、あとはもうただ金々の問題であるらしい。昔からいわれている地盤、看板、鞄の「三バン」の中、依然として、最後のカバンがいまもって一番大切であるようだ。

むかし、加藤六蔵という人が、代議士（愛知県選出）に選ばれて意気揚々と出京してきた際、福沢諭吉先生が、それはめでたい、一つお祝いの詩をかいてやろうと、さっそく筆を執られた狂詩が、

道楽発端称有志
阿呆頂上為議員
売尽伝来田畑去

貫得《ヒタリ》一年八百金

という面白いものだった。

これはいささか皮肉に過ぎているようであるが、やはり柄にもない野望をもつ議員病患者には一服の清涼剤ともなろう。この詩の歳費一年八百金は、今日はいくらにふえているのか知らぬが、政治家商売がこれだけで決して引き合うものでないことは確かである。二―三年の中にまたまた解散もあろうし、新競争も出てくる。一回何百万円――今日では――といわれる選挙費の調達に苦労を重ねて、それで落選の憂き目をみれば世話はない。「阿呆の頂上議員と為す」とは少し手厳し過ぎるが、考えてみれば、あまり割のいい話ではないようである。

議員が阿呆の頂上であるかないかはしばらく別にして、とにかく、私のここにいいたいのは、「道楽の発端を有志と称す」る、その有志に、小成功者の自惚れが得てして陥りやすいことである。私のいう職業の道楽化がまだ本物にならない先に、多くの人々が有志家道楽を始めてしまいやすいことである。もちろん、人間有志家たるも決して悪いことではないが、柄にもなく、また時期尚早に、この道楽へ踏み込むと何人もとんだつまずきをみることになる。正に戒むべきは自惚れの脱線である。

決して脇道に外れるな

有志家にはだれもなりたがるものである。しかも、有志家的野望といってもだんだんで、町内会の世話役、同業組合の幹部、何々委員会の委員といったところから、小は町村会の議員、大は国会の衆・参議員などまでいろいろの公職がある。自分からなろうと望む場合もあろうし、また周囲から推し立てようとする場合もあろう。いずれにしても、それに心動かすのは、十中の八九まで権力と名誉へのあこがれからである。したがって、私は単なる名誉心や権勢欲にかられての、この有志家気取りや政治家志望を厳に戒めたいと思うのだ。

平凡人の進む道はあくまでも「柄相応」でなくてはならない。

元来、名利は与えらるべきもので、求むべきものではない。自ら求めて得た名利は、やがてこれを失わざらんことに汲々としなければならず、しかも、それは瓶中《へいちゅう》の花のごとく、いつかはしおれてしまう。幸福の実は決して生《な》るものではない。それゆえ、われわれはあえて名利のために働くのでなく、仕事が——与えられた職務が——面白くてしようがないから働くという信条、すなわち、努力が楽しみという境地ですべてを押していきたい。そこに、おのずから自他繁栄の道も拓かれ、名と、利と、徳とが一致する人生も生まれてくるのである。

あせることはない。無理をすることはない。何事も「渠《きよ》成って水自《おのず》から至る」ものである。一人一業を守って、それに専心打ち込んでおれば、万福招かずして来るものである。町内会で立てられることも、同業者内に重きをなすことも、一社内に確固たる地位を占めることも、みなそれぞれの本業本務を立派につとめ上げてのことである。しかもそれは、自から求めずして、その人の上におのずと現れくるのである。

以前からよく、私はこの有志的、政治的進出の可否について、多くの小成功者連から相談を持ち掛けられることがあるが、その都度、いつも私は、だれにも二足草鞋を戒めて、その人の本業精進をつよく希望するのである。

私の体験社会学――最終結論

身のほどを知る――自惚れの自戒がとんだ方向に外れたが、この話の骨子にはきわめて重大な意義がある。つまり、平凡人は平凡人としてひたむきな、一時に一ヵ所に向けられた努力が大切であって、精力の二分三分は厳に戒められなければならない。多々益々を弁じ、行くとして可ならざるなしとは正に天才者の道で、平凡人が不用意にこれを見習うようなことがあってはならないのだ。

有志家的奔走もよろしい、政治家的肝いりもわるくはない。だが、それはあくまでも余暇余力を割くべきであって、決して本業の精進に支障を生ぜしめないだけの大切な限度がある。

私を可愛がってくれた祖父（折原友右衛門）は、不二道孝心講といった富士参りの大先達で、その講中巡回の際などは、いつも稼ぎ貯めた小遣いでの手弁当で、「信心は余徳でやれ」、「信心は商売にすべからず」としばしば語っていたが、有志的活動も、政治的活躍もまた同様で、これをハッキリ本業から区別してかかることが必要である。その間に一片の私《わたくし》をさしはさむことなく、どこまでも、余暇、余徳の社会奉仕でいくべきである。もしそれができないようであれば、まだまだそうしたことに手を出すのは早いのだ。退いていっそう大事な本業にせいを出すべきである。

あるいは若い人々の中には、純の純平たる熱情にかられて、乃公《だいこう》出でずんばの気概で、政治運動なり、社会事業なりに飛び出そうとする者もあろう。それもきわめて尊いことだ。しかし、それらの人々の行く道は、すでにここにいう平凡人の行くべき道ではない。天才の道であり、特殊の道である。わが党の士の政治的志向は、あくまでもそれに必要な金と力とをまず自分自身の働きで作り上げて、それからの社会奉仕でなければならない。土建屋としてでもよろしい。工場主としてでもよろしい。もちろん、飴屋、羊かん屋としてでも差し支えはない。ともかく一業に一人前の立派な存在を示し得てのち、道楽とし、余徳とし、社会奉仕として、大小それぞれの政治に志してほしい。名誉的な大臣を志すのも、器量次第でむろんわるくはない。

政治進出の話がちと長過ぎたが、これは単なる一例証に過ぎない。別に人生における政治的活動をとくに重しとみたわけではない。ちょっとした小成功を収めると、自己の力と柄《がら》をわきまえず、すぐこうした脇道に外れようとする人々を往々みかけるので老婆心からここに採り上げたまでである。社会的野望であろうが、事業的野心であろうがそれはみな同じことである。

要するに、平凡人はいついかなる場合も本業第一たるべきこと。本業専一たるべきこと。一つのことに全力を集中して押しすすむべきこと。これが平凡人にして、非凡人にも負けず、天才にも負けず、それらに伍してよく成功をかち得る唯一の道である。しかも職業上の成功こそは、他のいかなる成功にもまして、働くその人自身にも、またその周囲の人々にも人生の最大幸福をもたらすものである。

人生即努力、努力即幸福、これが私の体験社会学の最終結論である。

解説

岡本吏郎

世の中では、いろいろな成功者の経験が活字になって残っている。本田宗一郎や松下幸之助の伝記などはそういったものの代表例だろう。そして、後世の我々は自らも本田宗一郎や松下幸之助の人生を参考にしようと、そういった本を読む。最近では、過去の偉人に加えて、早期に上場を果たした若手経営者の成功物語なども広く知ることができる時代だから、参考にできるものは多い。

しかし、これらの成功物語には根本的な欠点がある。それは、彼らの生き様《ざま》は「特殊解」だということだ。世の中には、「一般解」と「特殊解」がある。「一般解」は世間一般に通用する。そして、「特殊解」は、応用問題の解答として優れている。しかし、「特殊解」は万人に当てはまるということはない。だから「特殊解」は役に立たない、と言う気はもちろんない。当然、応用問題の「特殊解」として、実践的に利用できるものだと思っている。現に、私もいくつかの危機を先人の経験を参考に乗り越えてきたことがある。したがって、「特殊解」とは言うものの、その中には、普遍的なものも多く含まれているとも思っている。

本多静六氏の『私の財産告白』は、多くの成功物語とは異なる。そこには、「特殊解」はない。全編で「一般解」が貫き通されている。

最近は「一般解」の人気がない。大学でもハーバード大学型のケーススタディーの勉強が主流だ。内田樹《うちだたつる》さんは、そのことに異議を唱えていらっしゃるが、私も内田さんの意見に賛成だ。ビジネスの世界でも、ノウハウや具体的な事例という「特殊解」が歓迎されて、抽象的な話や「一般解」は人気がない。確かに、「理念が大事だ！」「戦略が重要だ」と叫ぶばかりでノウハウを知らないのでは困る。しかし、ノウハウや具体的な事例とは基本的に過去のものだ。歴史を学ぶことが重要なように、過去のことを知っておくことは大変有効だが、それらが過去のものだという事実は頭に置いておかなくてはならない。

これに対して、「一般解」は応用がきく。そして、現実の中では「一般解」を応用したオリジナルが最も力を持つ。しかし、三品和広《みしなかずひろ》さんが言うように、「一般解と特殊解の間の距離は意外に大きい」。また、「一般解を知っていても、特殊解はそう簡単に視界に入ってくるものではない」。そのため、「一般解」は大変重要なもののはずなのだが、多くのビジネスマンに無視され、世の中では「特殊解」を振り回されることが多くなってしまっている。

本多静六が『私の財産告白』で展開している「一般解」は、私たち現代人にとって痛烈なパンチでもある。本多静六が語る「一般解」を聞いて、「これは目から鱗《うろこ》だ」と言う人はいないはずだ。そう、誰もがわかっている、誰もが知っているごく当たり前のことしか本多静六は語っていない。しかし、だからこそ、これが痛烈なパンチなのだ。

今回、この解説を書かせていただくにあたり、初めて昭和二十五年に出版されたオリジナルの『私の財産告白』を読ませていただいた。

実は、このオリジナルを読ませていただく一ヵ月前に、私は『お金の現実』（ダイヤモンド社）という本を書かせていただいている。この本は、私個人のお金雑記というコンセプトで、七つの視点からお金について書いたものだ。そして、『お金の現実』の一部でも本多静六や安田善次郎のことを書いている。また、同時に自費出版した『裏・お金の現実』（ビジネスサポートあうん）という本では、本多静六型蓄財法の対極として、伝説の相場師・是川銀蔵《これかわぎんぞう》のことを書いている。『お金の現実』では、安田、本多を典型とする「一般解」を扱い、『裏・お金の現実』という本では是川を典型とする「特殊解」を扱ったつもりだ。つまり、二冊の本で「一般解」と「特殊解」をそれぞれに扱い、お金に対するアプローチについて考えてみたのだ。

ところが、今回、オリジナルの『私の財産告白』を読んで驚いた。本多静六自身が、後半の「私の体験社会学」で日産コンツェルンの鮎川義介との対比を行っているではないか。鮎川義介（一八八〇―一九六七）といえば、重工業を中心に事業展開をした当時のベンチャー企業家。本多静六的人生とは対極の人生である。その対極的な人生を歩む鮎川義介とのエピソードを描きながら、自身の貯蓄法の確認をしていく。この部分が書かれた「私の体験社会学」については、今回オリジナルを読ませていただいたことで初めてその存在を知ったわけだが、私には最も新鮮な部分だった。

蛇足だが、私の本では本多、安田の「一般解」と鮎川、是川の「特殊解」の対比から普遍的な解を得る試みをしている。その試みの結果をここで披露すると、「どちらも変わらない」ということになる。何が変わらないかと言えば、努力に対する姿勢と量においては何も変わらないのだ。

何も変わらないけれど、二つの解には大きな違いがある。繰り返しになるが、「一般解」のほうは誰にでも実行可能だ。しかし、だからと言って、「一般解」が絶対正しいと言う気はない。たとえば、天下の鮎川義介が「一般解」の人生を歩むのは寂しいことだ。鮎川が「一般解」の人生を歩めば、それは人生の損失だろう。月並みな答えになってしまうが、個人の特性にしたがった人生が良いに決まっている。それでも、「一般解」のほうが誰にでも使える解であることに変わりはない。それに、努力の姿勢と量ではどちらも変わらないのだ。

多くの人は、奇跡を求めて「特殊解」を探す。しかし、そもそも「特殊解」は探すものではない。「特殊解」はオリジナルなものなのだ。「特殊解」があって、鮎川義介があるのではなく、鮎川義介があって鮎川義介の「特殊解」があるのだ。それに対して、「一般解」は逆だ。本多静六や安田善次郎の人生は、「一般解」を実行した結果の人生だ。

ところで、読書とは基本的に「共感」という感情を軸に行われる知的作業だ。たとえ知識を得ることを目的とした読書でも、既存知識や共感といったトリガーがなければ、読書という行為は成り立たない。したがって、一冊の本を読んだあとに、私たちが味わう読後感とは、煎じ詰めれば、共感できたか共感できなかったかという感情が根元にあるといってよい。

繰り返しになるが、本多静六の語る「一般解」を知らない人はいない。誰だって、稼いだお金を使わなければお金は貯まることぐらいは知っている。こういうことを知らない人間なんていないのだ。しかし、その知っている人間はまっぷたつに別れる。その「一般解」に共感する人と「こんなことぐらいわかっている」と言う人に、だ。

世の中には誰もが勝てる勝負がある。しかし、ほとんどの人はそういう勝負には参加をしない。本多静六という人が人生で行った勝負は、その「誰もが勝てるが、ほとんどの人がしない勝負」だった。

世の中には、「知識だけの人」が多い。この本は、きっと「知識だけの人」を見破るリトマス試験紙なのだ。

（おかもと・しろう　マーケティング・コンサルタント、税理士）

本書は、一九五〇（昭和二十五）年十一月に小社より刊行した同名書を、オリジナルの形で新たに出版するものです。このたびの刊行に際しては、本多健一氏（本多静六氏嫡孫、東京大学名誉教授）にご監修いただき、編集部で誤植・誤記の訂正、字句・仮名遣いの統一を行いました。また、岡村夫二氏による装画は一九五〇年の初出時に使用したものです。

なお本書中、今日の観点から見ると不適切な表現が一部にありますが、著者の考え方と執筆当時の時代相を伝えるものとして、原則として底本を尊重いたしました。

（編集部）

私《わたし》の財《ざい》産《さん》告《こく》白《はく》〈新装版〉

二〇〇五年　七月二〇日　初版第一刷発行
二〇〇五年　八月　一日　初版第二刷発行

著者　本《ほん》多《だ》静《せい》六《ろく》

監修者　本《ほん》多《だ》健《けん》一《いち》

発行者　増田義和

発行所　実業之日本社
〒一〇四―八二三三
東京都中央区銀座一―三―九
〇三―三五三五―二四八二（編集）
〇三―三五三五―四四四一（販売）
http://www.j-n.co.jp/

組版　千秋社
印刷　大日本印刷
製本　ブックアート

ISBN4-408-39582-X（第三）
2005, Printed in Japan